연금술의 목적은 시간의 흐름 속에서 변질되고 마는 물질(금속)을,
연단을 통하여 영원히 변질되지 않는 빛의 황금물질로 만드는 것이다.
그것은 다시, 세월 속에서 변질되고 마는 생로병사의 허무한 인생을
영원히 변치 않는 불로장생의 충만한 생으로 이어지게 하는 것이다.

초판 1쇄 인쇄 2017년 11월 21일
초판 1쇄 발행 2018년 01월 05일
지은이 최정운

펴낸이 김양수
편집·디자인 맑은샘
교정교열 장하나

펴낸곳 도서출판 맑은샘
출판등록 제2012-000035
주소 경기도 고양시 일산서구 중앙로 1456(주엽동) 서현프라자 604호
전화 031) 906-5006
팩스 031) 906-5079
홈페이지 www.booksam.co.kr
블로그 http://blog.naver.com/okbook1234
페이스북 https://www.facebook.com/booksam.co.kr
이메일 okbook1234@naver.com

ISBN 979-11-5778-249-9 (03110)

* 이 책의 국립중앙도서관 출판시도서목록은 서지정보유통지원시스템 홈페이지(http://seoji.nl.go.kr)와 국가자료공동목록시스템(http://www.nl.go.kr/kolisnet)에서 이용하실 수 있습니다.
(CIP제어번호 : CIP2017031102)

생명의 연금술

최정운 지음

맑은샘

차례

4장

5장

여는 글

여기 글의 처음은 〈청평 청년의 연금술〉이었다.
자란 고향의 이름을 땄었고, 인터넷 공간에서의 예명이기도 했다.
청평호의 물은 더 흘러, 벼랑과 터널을 지나, 바다에 이르게 되었다.
모든 것이 시작되고 마감되는, 그리고 다시 시작되는 생명의 바다에

연금은 종교와 과학이 만나는 장이다.
그리고 생명은, 종교와 과학, 정신과 물질, 이상과 현실이 만나는 장이다.

이 자리에서 인류의 제 문제들이 해결에 이를 것이다.
그리고 그 방법은 코페르니쿠스적인 것이 될 것이다.
방대한 지식이나 정보, 힘이나 기술로서가 아니라 전혀 다르게 전향된 것,
크로스 오버적인 것으로 정신과 물질, 이상과 현실, 종교와 과학 등의
협착에 빠진 내용들이 전체, 보편, 통일通一의 자리에 이르게 될 것이다.
'統一' 아닌 '通一'이어야 제 문제들이 해결의 자리에 이를 것이다.

과학적 용어 '진화'는 종교적 용어 '구원'과 같은 것으로 이해해야 할 것이다.
존재가 가진 최고 최대 난제를 해결 극복하고 다음 단계로 나아가는 것은
과학적으로 '진화'의 자리도 되고 종교적으로 '구원'의 위치도 되는 것이다.
이 관점에서 바라봐야 모든 것들이 제대로 이해되고 올바로 풀이되는 것이다.

이 글은 이 세대 '착한 가슴들'에게 전하는 선물이다.
그 가슴은 한 생이 아닌 오랜 윤회의 속에서 온 것이다. 곧 역사적인 것이다.

그 가슴들에게 하나의 메시지를 전하고 들려주는 일은 자연스러운 섭리이다.
착함으로 고난받은 가슴들에게 이렇게 인사로서 '자연 섭리'를 이루는 일은
얼마나 가슴 벅찬 기쁜 일인가!

文, 글은 길이고 문이다. "책 속에 길이 있다"는 말은 맞는 말이다.
언어(글)는 인류가 갖은 가장 크고 기본 된 양식이자 보물이고 보고이다.
그 엮어진 것(글)에 의해 인류는 또 하나의 발 디딤을 하게 될 것이다.

쓰인 말, 말씀, 곧 글(책)은 21C '입의 막대기'(이11/4)이며 '불'이다.
그 '막대'와 '불'에 의해 인류는 다시 새 가나안의 지침을 얻게 된다.

글을 다룬다는 것은 먼 옛날 원숭이가 도구를 다루었던 일과 매일반의 일이다.
도구를 다루는 습관이 길어지고 길어져 불과 막대를 이용하기에 이르렀고,
불과 막대를 이용하게 됨으로 협곡의 숲을 나와 평원으로 향할 수 있었듯이,
그리고 협곡의 숲을 나와 평원으로 감으로 비로소 김(김승-짐승)에서 벗어나
직립하는 존재의 인간으로 나아갈 수 있었듯이,
오늘날 인류는 '글'을 다루는 사람들에 의해 새 진화의 세계로 가게 될 것이다.

존재가 진화로 나아감에 있어 언제나 길잡이 역할을 했던 것은 '막대'였다.
숲에서 단지 짐승의 존재로 머물러 있던 한 존재(원숭이)가 신(정신)의 들려주는
음성을 따라 '약속의 땅(평원)'으로 향할 때, 그 장도에서 길잡이를 해 준 것이

바로 그 길고 단단한 '막대'였던 것이다.
'막대'의 능력과 힘을 믿음으로, 그들은 종살이(나무의 붙어살이)에서 벗어나
젖과 꿀이 흐르는 가나안(평원)으로의 출발을 단행할 수 있었다.

'막대'의 믿음을 가진 존재(원숭이)만이 '젖과 꿀'의 평원을 향할 수 있었고,
'막대(모세의 지팡이)' 믿음을 가진 민족만이 '가나안'을 향할 수 있었듯이,
오늘 다시, '막대(글)'의 믿음을 가진 존재가 '그 나라'에 이르리라는 것은
이치에 맞고 사리에도 맞는, 진리의 말이 되는 것이다.

이 시대 글(책)을 가까이하고, 대하고 있는 사람들은 그 가진 습성으로 말미암아
진리의 '불'과 '막대'를 이용하기에 이르고, 마침내 모순된 편협의 숲을 나와
드넓은 보편의 장, 진리의 평원으로 나아가게 되는 것이다.
그렇게 진리의 평원으로 나아감으로 비로소 동물의 오랜 김의 습성(이기적 습성)
에서 벗어나 중도로 자유하는 진화적(이타적) 존재로 나아가게 되는 것이다.

진보한 존재는 결실로서 새 선물을 신으로부터 하달받게 된다.
진리로 자유하는 보편의 평원은 21C 인류의 '새 가나안'이고,
21C 인류의 새 가나안에는 '(젖과 꿀 아닌)영생의 강'이 흐른다.

여기서 만나는 독자라면 이미 다른 많은 글을 접하고 온 이일 것이다.
이렇게 마음의 불을 켜고, 정신이 보내는 신호와 흔적에 주의를 기울이고 있는
여기 이 '오늘의 이'가 뭇 경전에서 말하고 있는 '깨어 있는 자' 아닐까?

시대의 많은 '知者'와 '善者', '義人'들이 약육강식의 경쟁에서 벗어나

변방의 척박한 '정신의 고산지대'에 올라 새날의 때를 기다리고 있다.
흡사 이것은 그 옛날 피 튀기는 약육강식을 벗어나 좁고 높은 곳으로 오르고 올라
킬리만자로 숲 속으로 찾아들었던, 그리고 거기서 최소한의 양식(과실과 나뭇잎)과
식량으로 목숨을 연명하다 마침내 인류의 전형 원숭이로 진화했던
그 전설의 표범과 같은 맥락의 이야기이다.

많은 부분에서 성서가 인용됐다.
이것이 어떤 종교적 이해나 관점(관념)이 아닌, 단지 역사적 정보와 자료로서
인용한 것임을 이해하리라 믿는다.

'생명의 연금'은 새천년의 인류에게 주어진 '21C 노아의 방주'이다.
생명의 시간이 얼마나 빠르고, 진화가 얼마나 유유한 것인가를 이해한다면
생명의 연금(술)이 '21C 방주'라는 말을 이해하게 될 수 있을 것이다.
시간과 과제의 중력 앞에 쫓기고 몰리는 21C 현대의 인류 앞에 '영생'은
그 옛날 히브리 노예들이 향했던 '약속의 가나안' 이상이 아닐 수 없다.

'연금술'은 유수 같은 시간의 세월 홍수에 휩쓸려 잠기지 않는 '기술'이다.
풍요의 바다, 정보의 홍수 속, 할 일 많고 누릴 것 많은 21C 인류에게
'세월 홍수'로부터의 '방주'가 준비되는 것은 아주 자연스러운 일 아닐까?

2017. 11. 최정운

1장

보라. 가을 햇살 쏟아져 대지에 명암 분명하다.
초목은 뜀박질 멈추고 실과로 자기를 잉태한다.

이제 이틀 후면 고통의 감로는 알곡 되어
영원의 하늘 곳간으로 들여진다네.

종교와 과학

인류사회에 있어 두 중심축인 종교와 과학은 관점에 의해 나온 것이다.

종교는 내면(의미)세계에 대한 것을,
과학은 현상(사실)세계에 대한 것을 각각 보게 된 것이다.

인간은 마음과 몸의 두 구조가 어울러 이루어진 두 구조의 합산 체로,
마음은 보이지 않는 것, 내면(의미)세계에 대한 질서와 법을 구했고,
몸은 보이는 것, 현상(사실)세계에 대한 질서와 법을 구했다.
그래서 빛이, 어둡고 혼탁한 우주를 밝혀 온 것처럼,
두 구조의 활동은 혼탁한 물질로서의 외면세계와 혼란한 가치로서의 내면세계에
진실과 진리의 빛을 밝혀온 것이다.

지금까지 두 세계가 지닌 세계관은 서로 다른 것으로 여겨져 왔다.
그리하여 몸과 마음이 하나 되지 못하고 현실 속에서 충돌하듯이,
종교와 과학은 서로 다른 이해로 서로 다른 주장을 이어온 것이다.

하지만 마음의 세계와 몸(물질)의 세계가 다른 것일까?
내면(의미)세계와 현상(사실)세계가 다른 체계에 속한 것일까?

마음과 몸이 결코 다른 것이 아니고 하나(하나에 속한 것)이듯이,
종교와 과학은 이제 통하는 것으로 하나가 되어야 한다.

오늘날 과학은 밖으로 수십억 광년의 은하 저편 세계를 밝히 보고,
안으로 물질 최소단위의 미립(자)의 세계를 자세히 보아 알게 되었지만
정작 인간과 사물의 내적 세계에 관해서는 아무런 설명도 못 하고 있고,
오늘날의 종교는, 현대과학이 주는 무수한 사실과 객관적 증거들을
제공받아 부인할 수 없는 분명한 내용을 접하고 있으면서도
구태의연한 자기 논리와 주장을 버리지 않고 있다.

이제 종교와 과학은 하나 된 자리에서 만나 본질에 대한 답을 분명히 해야 한다.
하나로 통하는 진리로써 인류가 가는 발걸음에 질서를 확립해 주어야 한다.
그 질서가 인류를 하나 되게 하고, 인류 이상을 이루게 할 것이기 때문이다.

바야흐로 크로스 오버[cross over] 시대가 왔다.
이제 종교는 신[神]을 말하기 위해 과학을 말해야 하고,
과학은 물질을 설명하기 위해 신을 설명해야 한다.

신이야말로 자연과 과학의 아버지(本體)이며,
물질이야말로 신과 의지의 자기현현[自己顯現]인 것이다.
현금의 종교와 과학의 상충 원인은 우주 시원에 대한 견해 차이가 주원인이다.

이 우주 시원(창조와 진화)을 밝힘으로써,
모순된 상충의 역사를 맺게 될 것이다.*

창조와 진화 1

1

이쪽에서 '간다'라고 하면 저쪽에선 '온다.'라고 한다.
각자의 위치에서 말하기 때문이다.
창조론과 진화론 이야기도 이와 마찬가지이다.
창조론과 진화론은 마음과 물질의, 내면(의미)세계와 현상(사실)세계를 각각, 자신의 위치에서 말하게 된 것이다.

내면(의미)세계에서 보면 우주창조이고
현상(사실)세계에서 보면 우연폭발이다.

2

빅뱅의 나타난 물리적 현상을 외면적 관점에서 보면 자연의 우연폭발이고, 현상의 내부에서 작용했던 의지를 관점으로 보면 신의 우주창조이다.

종교의 창조론은 내면세계의 세계관으로, 직관적 관념에 의해 나온 것이고 과학적 진화론은 외면세계의 세계관으로, 객관적 관찰에 의해 나온 것이다.
이것은 어느 것의 옳고 그른가의 문제가 아니라 관점(차)에 대한 문제이다.

종교는 현상의 내부에서 이루어진 진실에 관한 것을,
과학은 현상의 외부에서 이루어진 사실에 관한 것을, 각각 말하게 된 것이다.

처음, 하나의 소리音가 있었다.
짧은소리에서, 점차 긴소리가 나왔고
이어 음조와 리듬이 가미되어 음악이 되었다.
여러 가지 소리(악기)가 더해지고 화음을 이루며 장르가 생겨났다.
소리는 더 복합을 이루어 오케스트라와 밴드를 이루게 되었다.
그리고 최근엔 장르를 넘나드는 크로스 오버가 왔다.
월드 음악 시대가 된 것이다.

이 과정은 전체의 큰 흐름(외면)에서 보면 하나의 소리에서
복잡한 소리로 발전해 가는, 소리의 진화일 것이다.
하지만 흐름 내부에서 전개되는 내용(의지)을 중심으로 하고 보면
그것은 순간마다 창조되어 나오는 의지의 창작물이 되는 것이다.

하나의 음에서 오케스트라와 밴드의 음악이 나온 것은 창조인가?
진화인가?

이것은 또 다른 많은 전자제품 등 기술발전의 예이기도 하다.

3

태초의 창조는 이어 어떻게 전개되었는가?

진화 없이는 창조도 없고, 창조 없는 진화도 없다.
모든 창조는 진화에 의한 것이고 모든 진화는 창조에 의한 것이다.

모든 존재는 그 내부에 어떤 '의지'를 지니고 있는데,
그것은 자신이 더욱 완벽한(행복한) 존재가 되려는 것이다.
그것은 존재에게 필연적으로 있는 "자신 단점을 극복하려는 의지"이기도 하다.

하지만 그러한 의지는 곧바로 실현되는 것이 아니라
수많은 착오와 과오의 과정을 거쳐서 이루어지게 된다.
'단점'을 극복하려는 의지가 실패와 좌절을 거듭하다가
어느 순간 실패를 딛고 일어서는(극복하는) 때가 오는데,
그 순간이 바로 하나의 '창조'가 이루어지는 순간인 것이다.
그러므로 엄밀한 의미에서의 '진화'는 창조를 이루기 전에
진행되는 '보이지 않는 모든 노력들'이다.
한 의지가 일어섬과 넘어짐을 반복하는 全 과정이 다 진화인 것이다.

창조는 현재(者)의 눈의 창에는 보이지 않는다.
그것은 순간에 벌어진 일이고, 그 개체가 가진 '내면 폭발'일뿐
다른 개체(우주)에서는 그것을 볼 수 없다.

존재 사이는 그것을 볼 수 있을 만큼 가깝지 못한 것이다.
그래서 수많은 세월이 흘러 '폭발' 즉, '극복된 의지'가 본 모습을 갖춘 후
에야(오랜 습관과 습성으로 변화된 골격과 근육의 모습을 보인 뒤에야)
비로소 '보이는 형태'로의 '외면적 창조'를 말할 수 있게 해 주는 것이다.
보이는 형태로 나타난 것들은 그 창조(내면 창조)가 이뤄낸 변화이다.

지금의 과학이 말하고 있는 진화는 연속된 창조,
곧 창조의 창조를 말하고 있는 것이다.
창조가 거듭 진행되어 현재 과학이 설명하는 진화곡선을 그리게 된 것이다.

과학은 눈에 보이는 것에 관해서만 설명을 하는 것이고
그것이 현상으로 확인될 때에만 어떤 이름을 붙이는 것인바,
눈으로 확인될 만큼의 현상(변화)을 보이는(진화된) 개체는 사실,
이미 오래전에 그 내부에서 창조(개벽)의 과정을 거친 것이다.
그 내부적 창조가 오랜 시간 속에서 외부적 진화를 이뤄낸 것이다.

그러므로 창조와 진화는 흡사 밤하늘의 빛나는 별빛과 같다.
지상의 관찰자가 인식할 수 있도록 자신의 실체를 내보이고 있는 별빛은
이미 수많은 시간의 우주공간 속을 뚫고 지나온 '과거의 별빛'인 것이다.

하나의 '생명'은 한 '창조된 정신의 빛'이 수많은 시간의 골육 세포 속을
가로질러 통과해온 '과거 의지의 현현물'이다.

빛이 수많은 시간의 우주공간 속 파장과 굴절로 현재에 이른 것처럼,

생명 또한 수많은 시간 속 우여곡절(역사과정)로 현재에 이른 것이다.

하나의 모래가 수많은 시간의 파도 속을 부딪쳐 씻겨온 결과이듯이
하나의 별빛은 수많은 시간의 우주공간 속을 뚫고 지나온 결과이고,
하나의 骨肉(생명)은 수많은 시간의 습관 속을 통과해 온 결과이다.

우리는 한때 빛이 '번쩍'하고 우리 앞에 다가온 것으로 생각했고
우주(생명)가 '뚝딱'하고 우리 앞에 만들어진 것으로 생각했다.
하지만 현재도 하늘의 수많은 별들이 생성(소멸)되고 있고
땅 위 생명 역시 수많은 종이 지금도 생성(멸종)되고 있다.

지금 눈앞에서 반짝이고 있는 별빛은 현재의 것이 아니다.
지금 눈앞에서 현현하고 있는 생명 또한 현재의 것이 아니다.
수많은 시간의 우여곡절 속을 뚫고 지나온 '과거의 의지'이다.

이렇듯 창조는 진화의 끝에 있는 진화로, 진화의 결정물結晶物이다.
우주폭발을 다시 보면 폭발이 바로 의지의 발현인 것이므로 빅뱅이 곧 창조
이지만 폭발 직전의 먼지 성운이 결집하기까지의 全 과정은 진화인 것이다.

이처럼 영원한 시간 속을 진행하며 이뤄지는 삼라만상의 이 우주는
창조와 진화의 쌍두마차에 의해 펼쳐지는 수레의 그림이다.

수레(바퀴)가 연속으로 구르며, 반복에 반복을 거듭하는 것 같지만
그 바퀴의 자리는 또 어딘가 새로운 지경을 지나고 있는 것이다.

4

인류는 최근 TV를 통해 '제인 구달 박사'의 오랜 연구와 관찰 끝에 밝혀진
인간과 가까운 영장류, 원숭이와 침팬지에 관한 보고서를 접하게 되었다.
거기에는 인간 원류에 대한 생생한 모습들이 자세히 담겨 있었다.

도구를 이용하여 각종 먹이를 취득하는 모습,
그것을 학습으로 새끼에게 가르쳐 전달하는 모습,
죽은 새끼를 그리워하며 오랫동안 곁을 지키는 어미의 모습,
또, 집단으로 분쟁하며 동족을 살해하는 정치적인 모습까지…
부정할 수 없는 인간 원류에 대한 단서들을 담고 있었다.

인간은 옛 유대민족이 자신들을 선민으로 믿었던 것처럼
또, 유신론자들이 자신들만의 구원을 믿는 것처럼,
자신이 우주 안의 특별한 존재라고 생각해왔다.
신의 자녀이고, 유일한 인격체라고 믿어왔다.

인간이 신의 자녀로서 특별하게 선택되고 창조된 인격적 존재임은 사실이다.
하지만 그 창조를 이룬 全 과정은 다름 아닌 진화임을 알아야 한다.

인간이 원숭이로부터 진화됐다는 과학적(객관적) 사실이
인간이 가진 가치의 존귀함(숭고함)에 손상을 주는 일인가?
인간이 원숭이로부터 진화되어 나왔다는 이 진화적 창조가

유신론자들이 생각하는 신의 단순 창조보다 가치 없는 것일까?

생명에 생명을 넘어서며, 억겁의 시간 속에 이루어진 이 진화적 창조는
유신론자들이 생각하는 신의 순간(단순) 창조보다 절대 가치 없는 것이 아니다.
생명의 피땀과 눈물 어린 수고로 이루어진 이 신의 '진화적 창조'야말로
그들이 주장하는 신의 '단순 창조'보다 수만 배 귀하고 거룩한 것이다.

"신이 우주를 창조했다"는 말은 과학적이지 않다.
과학적이려면 중간(과정)에 대한 설명이 있어야 한다.

"신은 진화를 창조했다."

신은 진화의 방식으로 창조를 이루시는 것이다.*

창조와 진화 2

1

모든 진화는 창조 후 진화한 것이다.
모든 창조는 진화 후 창조된 것이다.

만약 종교에서 말하고, 과학에서 말하는 태초의 기원에 대한 내용이
실상은 다르지 않고 서로 같은 것이라고 한다면 어떠할 것인가?
종말이 곧 시작이고, 구원이 곧 진화인 것이라면 어떠할 것인가?

종교가, 어떠한 것도 일시적 신의 작용만으로 실현되는 것이 없다는 것과
과학이, 어떠한 것도 신의 작용 없이 이루어지는 것이 없다는 것을 알면,
종교는 신비적 환상에서 벗어나 구체적 현실에 충실할 수 있을 것이고,
과학은 물질적 망상에서 벗어나 영원의 처소에 자신을 둘 수 있을 것이다.

현상의 것에 대하여, 그 과정에 대한 것을 알면 '과학'이고, 모르면 '기적'이며,
그 원인에 대한 것을 알면 '종교'이고, 모르면 '미신'이다.
어떠한 현상이 나타나기까지, 거기에는 반드시 원인과 과정이 있게 마련인데
그것을 보지 못하거나 생략해 버리면 '기적'과 '미신'이 되고 마는 것이다.

이것이 현금의 종교와 과학이 가진 맹점과 같은 부분이다.
우주창조와 종말에 대한 부분에 인식에 대해서는 더욱 그러하다.
나타난 우주현상(창조)과 또 장차 나타날 우주현상(종말)에 대하여
단지 단막과 현상으로만 보면 '기적'과 '미신'이 아닐 수 없는 것이다.

기체의 탄생이 순간이듯 빅뱅(우주창조)도 순간이고 생명의 탄생도 순간이다.
단지 단막의, 보이는 현상만을 놓고서는 그렇다.
하지만 진행되어 나오기까지 과정을 보면 그렇지 않다.
기체가 탄생하기까지, 물이 100℃에 이르도록, 지속적인 화로가열이 있어야 한다.
빅뱅이 이루어지기까지, 폭발에 이를 수 있도록, 무량시간 성운결집이 있어야 한다.
생명이 탄생하기까지, 물질발효에 이르도록, 억겁시간 물질융합이 있어야 한다.
이처럼 모든 창조는 신의 단순(순간) 창조가 아니고, 시간 속에 공을 들이고 들인 진화(적) 창조인 것이다.

'과학을 알게 된 자 불행할진 저, 그 앞에서 이제 로또의 기적, 신의 환상은 사라지고
오래고 오랜 진화로의 고독한 기다림과 묵묵한 수고의 발걸음만이 저의 것이 될지니'

2

지구는 지구만의 특별함으로 진화되고 창조된 우리의 별이다.
만약 지구라는 행성 체에 마음이라는 의식이 있어,
그 실체를 다른 행성 체에 알리고 싶다면 어떻게 그 뜻을 이룰 수 있을 것인가?
그에 대한 방법은 어디 무엇에도 있지 않다.

오직, 그에 도달하기까지 빛의 속도로 우주공간 속을 달려가는 것뿐이다.
자신의 빛이 다른 행성 체에 닿을 때까지 언제고까지 버티고 있는 것뿐이고,
수십, 수백 억 년이 걸릴지 알 수 없는 시간 속에 충실히 자기를 두는 것뿐이다.

하나의 행성이 다른 관찰자에게 자신의 실체를 전하는 것이 시간에 의한 것이듯,
하나의 진화(창조)를 이룬 개체가 다른 관찰자에게 자신을 보여줄 방법도
유구한 시간을 패스하는 것밖에는 다른 방법이 없다.
이것이 실체적 창조를 이루는 패턴인 것이고 진화를 이루는 방식인 것이다.

오늘 아무리 위대하고 놀라운 창조를 내 안에서 이루었다 하더라도
다른 개체는 그것을 알아볼 수 없고, 나 또한 그것을 보여줄 수 없다.
단지 그 '창조(변화된 의지)'가 수많은 시간과 곡절 속에서 '우주공간'과
'골육 세포'를 가로질러 다른 인식 자에게 나타나 보일 때에야
비로소 그 실체를 말하여 알 수 있게 해주는 것이다.

이러한 창조와 진화의 모습은 만장굴에서 자라는 하나의 종유석과 같다.
한 개의 결로로 형성된 젖줄 곧, 한 '창조의 젖줄'이 한 방울 한 방울
수억의 반복으로 종유석 하나를 만들고 그 실체를 보여주게 되는 것이다.
이처럼 '창조'는 수많은 시간 속에서 이해할 수 없고 상상할 수도 없는
기이하고도 독특한 각각의 습관과 습성들이 줄기줄기 진화로 이어져
우주 삼라만상의 무한창조형태로 나타나게 되는 것이다.

이처럼 '창조'는 처음 혁신적인 정신을 확립하던 어느 한순간의 일이고,
'진화'는 그 확립된 정신이 믿음과 확신의 신념으로 습성의 걸음을 옮긴

수많은 시간 속 습관의 잔여물이다.
움직이지 않는 듯 보이나 시간이 지나면 움직였다는 것을 알게 해주는
시곗바늘의 지침처럼 창조와 진화가 연계되어 움직이는 존재계의 시계는
현재 자의 눈의 창에는 좀처럼 포착되지 않고, 수많은 시간이 지나서야
가리키는 바늘이 비로소 그 경과를 알게 해주는 것이다.

3

창조는 개체 내부에서 일어나는 일이고, 그래서 외부에서는 그것을 볼 수 없고,
진화는 유구한 시간 속에서 이루어지는 수많은 노적[勞績]의 결과물이다.
그래서 진화는 그 진화를 이뤄가는 실체조차 그 방향과 실체를 다 알지 못한 채
(보지 못한 채) 역사의 뒤안길로 퇴장하여가고 마는 것이다.

운명을 바꾸는 것(창조)은 것은 본질적으로 습관을 바꾸는 것이고,
본질적 습관을 바꾸는 것은 근육과 골격의 형질(체형)을 바꾸는 것이다.
그것은 걷는 바대로의 진화를 이루어가는 '팔자걸음'이다.
걷는 바대로 근육과 체형을 이루며 존재의 실체적 변화를 이뤄가는 것이다.
한걸음, 한걸음의 습성이 진화로 이어져 창조의 가시적 형태로 나타나는 것이다.
어떤 한 존재가 자신 삶의 길 끝에서 가진 깨달음으로 자신의 방향성을 설정하고
그 설정된 방향을 노력이라고 할 수도 없는 긴 생활로의 습관을 형성시킴으로써
존재는 비로소 자신의 본질적 변화를 이뤄가게 되는 것이다.

4

우주는 신(정신, 의지)의 인도함을 따라 이루어진 신의 창조물이다.
우주 삼라만상이 진화로 이루어진 진화의 산물이지만 그것은 바로
자신의 신념, 곧 '믿는 바대로의 뜻'에 따른 진화이기 때문이다.

'자신이 믿는 바대로의 진화'
그것은 곧 신(정신)의 의한, 신을 따르는, 신의 창조인 것이다.

우주의 뭇 존재들은 그렇게 자신의 '믿는 바대로의 뜻'을 따라
우주 삼라만상과 자연 생태계를 형성해 이뤄가고 있는 것이다.

인간세계에서의 모든 활동과 움직임, 변화는 다 의지 활동의 결과이다.
이것은 동물 세계에 있어서도 마찬가지이며 식물 세계도 마찬가지이다.
현대과학은 이제 동물만이 아닌 식물의 세계에 있어서도 인간의 마음에
해당하는 '의지'와 '정보'에 대한 부분이 있음을 확인하게 되었다.

정도의 차이만 있을 뿐, 그것은 실은 광물의 세계에 있어서도 마찬가지이다.
동물이나 식물에서의 의지와 반응, 생성 변화가 유동적이고 가시적인 반면,
광물에서의 그것은 그 존재수명의 무한성만큼이나 유구하게 진행되므로,
그 반응과 변화의 내용(현상)에 의지가 없는 것으로 보이고 느껴질 뿐,
저들에게 '의지' 자체가 없는 것으로 할 수는 없는 것이다.

광물 또한 저마다의 성질과 성향, 기호와 의지를 지니고 있어,
주어진 환경 속에서 생성과 변화의 창조를 이뤄가고 있는 것이다.

광물 세계에 있어서 각 분자나 원자의 반응 정도가 서로 다른 것은
그들 모두 각기 다른 의지와 정보를 가진 때문으로 이해해야 하는 것이다.
성운의 집결과 블랙홀의 터널 등 모든 우주적 작용은 '의지'가 전제돼야만
그에 따른 현상을 이해하고 설명하는 데 이론의 합당함에 이르게 된다.

광물에서 생물에 이르기까지 존재하는 우주의 삼라만상은 의식(신)의 산물들이다.
각각의 성질과 의지로, 각각 주어진 환경에서 적응, 반응하여 각각의 변화를
이끌고 끊임없는 창조와 진화의 발자국을 남기고 있는 것이다.

5

블랙홀과 특이점, 터널 등 현대물리학과 천체학이 그리고 있는 창생의 내용들과
미세입자(원자와 양자)를 구성하고 있는 물질과 에너지 세계에 대한 내용들은
소우주인 인간을 들여다봄으로써 더욱 포괄적인 이해에 접근할 수 있을 것이다.

천체를 밝히고 있는 우주의 수많은 별과 같이 체내 생명을 밝히고 있는 수많은 세포는
각각의 의지와 반응으로 개체적 활동을 하는 것이지만 그것들은 인체 내의 또 다른
더 큰 조직과 기관 속에 속해, 그 기관과 조직의 의지를 담고 활동하는 것이고,
더 나아가 모든 조직과 기관을 아우르는 한 정신의 의지 아래 제어, 통제되며
상호작용하고 존속하고 있는 것이다.

위[胃] 세포를 예를 들면 위 세포 한 개체는 스스로 의지와 정보를 가지고 활동하지만 자신의 의지만이 아닌 위[胃]라는 조직 전체의 의지와 정보 아래 움직이고 있는 것이며 胃라는 조직은 또 몸 전체의 종합된 의지와 정보 아래 움직이고 있는 것이다.

하나의 행성과 항성의 움직임 뒤에 더 큰 조직과 기관인 은하의 활동이 존재하듯이 우주에는 더 큰 조직, 은하단과 은하단을 연결해주는 종합된 하나의 정신(의지)이 있어, 우주적 큰 흐름과 그 흐름의 질서를 이끌어가는 것이다.

이처럼 우주 삼라만상의 모든 것들은 개체로서의 각각의 의지와 정보를 지니고 활동하는 것이지만 동시에 더 큰 조직과 기관, 또 더 큰 종합적 조직(개체)의 의지와 정보 아래 통합, 연결되어 상호작용의 영향 속에서 존속하는 것이다.

그렇게 하나의 개체적 세포 안에 전체의 정보와 내용, 의지가 내재 돼 있어, '내가 아버지 안에 아버지가 내 안에 나를 본 것은 아버지를 본 것'이 되는 것이다.

6

우주물질 가운데 가장 신비로운 것이 있다면 그것은 바로 '물'이다.
우주 삼라만상을 이해하는데 '물'이라고 하는 물질은 좋은 본보기 역할을 한다.

물은 모든 態, 고체(얼음) 액체 기체(수증기)를 이루고 있는 첨단의 물질로, 지구와 생명의 진화에 결정적 역할을 하고 있다.
지구는 이 크로스 오버 물질로 인해 급격한 진화의 발판을 마련할 수 있게 되었다.

물은 지구상에서 가장 많은 양을 이루고 있는 물질이기도 하다.

모든 물질은 온도의 차이로 그 상태와 성질이 달라진다.
하지만 물은 그에 대한 변화를 더욱 확연하게 보여준다.
진화된 존재일수록 온도와 환경 변화에 민감하게 반응하는 것이다.
물은 온도와 환경에 따라 다양한 형태(고체, 액체, 기체)와 색깔로
자신을 모습을 나타낸다.

생물 또한 환경이 주는 작은 변화로 모든 상태와 습성이 달라지게 된다.
그중에서도 더 진화된, 첨단진화존재 인간은 그 변화가 확연하게 보인다.
인간을 최고의 진화적 존재로 보여주는 것들은 인간이 표현해내고 있는 반응 곧,
눈물과 웃음 등의 감정 현상으로 이해할 수 있다.

정서적 반응을 확연하게 표출한 이러한 인간의 모습은 광물계에서 증발(수증기)과
냉각(얼음)으로 자신을 표출하게 된 물과 같은 것으로 이해할 수 있을 것이다.
그렇게 인간은 저점(0℃ 이하)과 고점(100℃ 이상)의 우주 상태와 물질 상황을
생명의 내용으로 집약해 나타내고 있는 소우주인 것이다.

또 우주 전체를 놓고서는 정체한 듯 보이는 광물질의 세계가 '고체상태의 물(얼음)'
인 것이라면, 반응하는 물질로 나타나게 된 생물은 '액체상태의 물'이고
내적 정서(감정)를 나타내게 된 인간은 '기체상태의 물'로 이해할 수 있을 것이다.

또 물이 100℃의 증발된 물(수증기)과 0℃의 굳은 물(얼음)로 상태를 나타내지만
실은 나머지 보이지 않는 상황 속에서도 각기 다른 감정과 성질을 지니는 것이다.

이처럼 모든 물질은 각각의 상태에 따라 천태만의 변화 속을 걸어가고 있다.
그것이 인간의 웃음이나 눈물과 같은 즉각적, 가시적 반응과 변화가 아닐지라도
각각의 감성과 의지를 지니고 영원우주의 유구하고 무한한 시간과 공간 속에서
생성과 변화의 과정 속을 걷고 있는 것이다.

100℃와 0℃, 웃음과 눈물을 나타내는 인간만이 감정을 지닌 것이 아닌 것처럼,
감정의 극한, 100℃(웃음)와 0℃(눈물)에 이르지 못한 광, 식물과 동물 등도
모두 의지의 반응체로서 어떤 과정을 걸어가고 있는 것이다.

7

우주 삼라만상에서의 창조는 단계마다 갖게 된 진화의 結晶에서 나온 것이다.
인간이 갖게 된(동물에게 없는) 감성은 이렇게 모든 진화의 결정인 것이다.
수많은 고통의 과정을 통해서 연금으로의, 자유로이 반응하는 감성체가 된 것이다.
웃음과 눈물은 그러한 반영으로, 감정의 일정 한계, 정서의 극한에서 나온 것이다.
각종 생물체의 탄생도 그와 같다.
어느 환경의 결정적 단계에서 꽃과 나비, 꿀과 벌이 동시다발적으로 나온 것이다.

물질의 연금이 가해지는 열을 통과하면서 이루어지듯이,
생명의 진화는 자신에게 주어지는 열(고통)을 극복하면서 이루어진다.

하나의 물질이 자신에게 주어지는 열의 변화로 새로운 성질의 변이를 이루는 것처럼
존재는 개체에 주어지는 고통을 감당, 극복, 통과하면서 새 진화를 이루어낸다.

이처럼 신은 흙으로 이루어진 질그릇과 같은 존재들을 더 높은 단계로 이끌기 위해 더 높은 온도의 열(고통)을 가하는 도기장이의 역할을 하고 있는 것이다.

하나의 개체가 진화된 존재로 나아갈 때, 그 개체의 유전자 속에는 암호처럼 하나의 코드가 새겨진다. 그것은 그 자신에게 주어진 고통의 값을 감당, 극복, 통과하면서 새기게 된 흔적의 것인데 그것은 다른 의지와는 달리 취중이나 夢 중, 무의지와 무의식 중에서도 작동되는 각인된 것으로, 존재의 방향과 삶의 습관을 이끌어가게 되는 것이다.

진화는 결국 고통 때문이다. 고통의 값이고 고통의 열매이다.
생명에 있어 그것은 더더욱 생생하고 확연한 것이다.

최초의 인류는 '자각하는 정신'으로 그 기원을 이루게 된 것인데
그 '자각의 정신'은 '자극(고통)에 대한 예민함'으로 이루게 된 것이다.
그것으로 '타'를 자각함과 동시에 '가치의 자각'에도 이른 것이다.
고통 없이 '타를 자각함'에 이를 수 없다.

8

모든 존재는 나름대로 장단점을 가지고 있다.
하지만 그것은 실은 하나의 장점만을 가지고 있는 것이다.
자신만의 성과로 개체적 아름다움을 드러내고 있는 것이다.
그것이 바로 노력의 결과물, 의지의 발현물, 신의 창조물이기 때문이다.
단점은 단지 부수적 결과로, '성과'의 뒷면이고 그림자이며, 틈일 뿐,

그 자체가 부족하고 모자란, 잘못된 것이라 할 수 없는 것이다.

환경에 적응하여, 존재계에 존재하고 있는 자체만으로 그는
우주에 '창조의 미'와 '실용의 가치'를 드러내고 있는 것이다.
그래서 '생존'은 그 존재의 존재가치를 드러내는 유일한 방법이 되는 것이고,
'사랑'은 그 존재의 존재가치를 이해하는 최고의 방법이 되는 것이다.

종교적 용어 '구원'이라고 하는 것은 과학적 용어, '진화'로 이해될 수 있을 것이다.
자신의 '미완'을 인식하고 '미궁'에 빠져있는 한 존재가 그것을 극복하고 한 단계 더
나아가는 것은 '구원'으로 이해될 수도 있고 '진화'로 이해할 수도 있는 것이다.

모든 진화(구원)는 어떠한 믿음과 그 믿음의 機臺 위에서 이루어진다.
한 포기의 풀은 봄이 있다는 언약을 믿고, 그 언약을 따라 나아감으로
혹한을 이기고 겨울을 통과하여 다년생 식물과 천 년 거목으로 갈 수 있다.
한 마리의 원숭이는 가나안(평원)이 있다는 언약을 믿고, 그 언약을 따라감으로
애굽 숲(김승)을 떨치고 '젖과 꿀이 흐르는 가나안(직립인간)'으로 갈 수 있었다.

'봄'에 대한 신앙이 있는 풀만이 '그 나라(영생의 가나안)'에 갈 수 있었던 것처럼,
오늘 '그 날'에 대한 믿음이 있는 자만이 '다음 단계'에로 나아갈 수 있게 될 것이다.*

닭이 먼저냐, 달걀이 먼저냐

1

이것은 지금까지 과학자들 사이에서도 끝없이 쟁론 돼온 물음이다.
현대과학이 이 문제를 풀지 못한 것은 유감스럽게도 '진화'를 몰랐기 때문이다.
즉, 진화가 다름 아닌 '개체내의 창조'라는 사실을 몰랐기 때문이다.

'개체 안에서의 창조'

하나의 개체는 자신에게 있는 단점을 극복하기 위하여,
자신 안에서의 '창조'를 부단히 노력(소망)하여 나아간다.
이 '자신의 창조'는 죽음보다 어렵고 힘든 일이지만
수많은 실수와 실패의 과정(역사적 과정)을 거쳐,
마침내 자기 뜻을 달성하는 한 정점에 이르게 된다.

새로운 종의 기원이 탄생하는 순간이다.

자신의 단점을 극복하는 정점에서 이루어지는 이 창조는
개체의 내부에서 일어나는 너무나도 크고 위대한 사건이다.

하지만 그것은 그 개체 내부에서 일어나는 크고 놀라운 사건일 뿐
그 외부에서는 대단하지도, 특별하지도 않은 미미한 사건이다.
그저 표정이나 색깔(안색) 정도가 조금 달라진 것이라고 할까?
외부에서 바라본 그 개체는 전혀 새롭지도 달라지지도 않은 존재인 것이다.

하지만 그는 이제 정말 새로운 존재가 된 것이다.
시간이 지나면 점차 구별될 하나의 양상, 곧 영원의 습관으로 향하는
한 진화의 방향을 자신 내부에 찾아 세우게 된 것이다.

'난 인간이다!' 라며 우주의 중심임을 자각했던 최초의 인간도
당시 존재하고 있던 다른 유인원과 크게 다르지 않았다.
신의 선택을 받았다는 옛 이스라엘 민족도 타민족과 다르지 않았으며,
신의 아들이라고 했던 예수 또한 다른 이와 구별된 존재가 아니었다.
보이는 외부적인 요인으로는 결코 자신을 다르다고 증거 할 수 없었다.

하지만 내면에서는 다른 것이 있었다.
많은 시간이 흘러서야 보여주게 될 내면의 한 성향 즉,
진화로서만 나타내 보일 수 있는 하나의 성향을 가지게 되었던 것이다.
시간만이 그 개체가 지닌 내면의 뜻을 나타내어 보여줄 것이다.

2

창조란 새 의지에 의한 새 습성을 한 개체가 습득하게 된 것을 말한다.
시간이 진화를 가져오고, 보이는 형태로의 창조를 말해주게 될 것이다.

태초의 닭은 어떤 한 젊은 꿩(또는 그 비슷한 조류)에서 나왔다.

그 꿩 내부에 어떤 창조(야생을 버리려는 의지의 실현)가 있었고
그 내부의 창조가 오랜 시간 속에서의 외부적 변화를 이루어
마침내 지금과 같은 닭의 모습으로 변화를 이루게 된 것이다.✻

우주의 구성

1

우주는 '빛'과 함께 시작되었다.
그 빛은 '폭발'에 의한 것이다.
또, 그 폭발은 '의지'에 의한 것이다.

태초의 빛에 의해 우주는 밝음과 어둠의 큰 구분을 하게 되었고
밝음과 어둠의 陰陽은 다시 그 전개로 起承轉結, 春夏秋冬,
東西南北, 上下左右로 시간과 공간의 사행적 구조를 이루게 되었다.

음양의 큰 틀에서 전개된 사행적 구조는 다시 각각 正分合,
上中下의 3단계 과정을 거쳐 12단계와 24단계의 과정을 이룬다.
이것은 공간이 사방, 팔방으로 이어져 원(원형)을 이루고, 시간이 四季,
12달(12시간)과 24절기(24시간)로 이어져 원(원형)을 이루는 과정이다.
이러한 과정은 우주의 구조(공간)와 역사(시간)를 이루는 과정으로
全方位, 24時의 타원[橢圓]을 이루고 영원(성)을 이루는 과정이다.

2

우주의 생성과정은 생명(인간)이 그대로 답습하여 따르게 된다.
인생과 인간의 이야기가 인과응보, 기승전결 등으로 전개되는 것은
인간이 의도해서가 아니라 우주원리가 먼저 그러하기 때문이며,
그러한 우주원리에 의하여 신화와 역사, 존재 이야기가 펼쳐지는 것이다.
전적으로 내적 신념이 모토motto 되어 이뤄진 유대민족의 역사적 발걸음은
이러한 신의 섭리 역사가 아주 잘 반영되어 있다.
우주 생성 과정이 수리적 단계를 이루며 전개되었듯이,
이스라엘 역사는 그 과정을 그대로 답습하여 이뤄졌던 것이다.

이스라엘 역사는 3, 4, 12數 등의 자연 섭리의 수리적 단계를 따라 이룬 것으로
신의 섭리에 응한 역사였다. 대표적인 몇 가지만 열거하자면 다음과 같다.
아브라함 3 제물, 예수 3 시험, 3일 부활, 노아 홍수 40일, 모세 궁중 생활 40년,
광야생활 40년, 금식 40일, 가나안 정탐 40일, 애굽 고역 400년, 예수 금식 40일,
영적 노정 40일, 야곱의 12 자식, 이스라엘 12 지파, 생명나무 12가지, 예수 12
제자 등등….
이러한 수리적 역사는 우주 섭리의 뜻을 가지고 전개된 것으로,
한국의 3신, 12환국, 십이지신(자축인묘 진사오미 신유술해) 등과
일제치하 '40년' 등도 그와 같은 맥락의 것으로 볼 수 있다.

3

하루의 봄(사계)이(가) 있고 일 년의 봄(사계)이(가) 있으며,
일생의 봄(사계)이(가) 있고, 세대의 봄(사계)이(가) 있으며,
시대의 봄(사계)이(가) 또 있다.
그리고 더 큰 궤도의 봄(사계)이(가) 끝없이 이어져 있다.

이것은, 지구가 태양을 공전하고, 태양(계)이 은하를 공전하며,
은하는 또 더 큰 궤도 속에서 우주를 공전함과 그 궤적을 같이한다.

우주의 시간이 함축된 하루 안에 다시 봄(아침) 여름(낮) 가을(저녁)
겨울(밤)이 있고, 그 봄(아침) 안에 또 봄 여름 가을 겨울의 사계가 들어 있다.
이렇게 각 계절 안에 다시 사계가 끝없이 이어져 있는 것이다.

이러한 시간은 공간(물리)의 흐름과 맥을 같이하여 우주질서로 이어지고
인간지사[人間之事] 또한 기승전결, 길흉화복의 형태로 전개되는 것이다.

그렇게 나타난 우주 절기는 지금 외적(물질문명)으로는 싹트는 봄을,
내적(정신문화)으로는 결실의 가을을 나타내고 있다.*

존재의 목적

1

존재의 목적은 진화하는 것, 한 걸음 나아가는 것이다.

하지만 이것은 전체를 통해서 보는 객관적 관점일 뿐,
개체에서는 '진화'니 '나아감'이니 하는 것은 무의미한 것이다.
그저 자신의 행복을 위해서 고군분투하며 가는 발걸음인 것이다.

하지만 개체가 행복해지는 순간은 결국 진보하는 순간(뿐)이다.
퇴보의 발걸음에서는 불안과 두려움으로 인해 불행을 느끼게 되는 것이다.
그래서 모든 존재는 무의식(무지)중에서도 앞을 향하여 나아간다.
이처럼 앞을 향하여만 가는 존재의 본질은 태초에서부터 비롯됐다.

태초 캄캄한 어둠 속에 하나의 의지가 있었고,
그 의지는 '자신을 나타내고 싶다'는 것이었다.
이 태초의 의지로 인해 우주창조가 시작되었고,
그 의지로 인해 삼라만상이 조화로 나타났으며
그 정점에서 감성의 반응체, 인간이 나온 것이다.

이와 같은 창조의 본질에 존재의 목적이 온전히 드러난다.
자신을 아름답게 나타내는 것(조화롭게 실현하는 것)
그리고 그것을 함께 할(느낄) 상대를 찾아 이루는 것,
'자기실현'과 '사랑'이것이 존재의 목적이다.

2

창조는 어둠의 보이지 않는 먼지(無)에서 빛을 발하는,
보이는 항성(有)으로 나온 것이다.
나타난 존재는 [빛]과 [온기]를 향하여 움직인다.
중력을 따라 창공을 배열하고 질서를 이루고 있는 모든 행성은
모두 그들 안의 빛과 온기를 따라 항성 가까이 이동한 것이다.

인간의 기쁨과 행복추구도 이와 마찬가지다.
저마다의 행복을 찾아서 그룹을 이루고 삶을 이어가고 있는 것이다.
철저한 내적 동기(신앙)에 의해 '젖'과 '꿀'의 땅을 향했던 히브리
노예들의 발걸음은 모든 생명과 인간행로의 모델이 될 수 있을 것이다.
그 걸어간 여정 속에 존재의 목적이 잘 반영되어 나타나 있다.

존재는 '행복'과 함께 '영원'을 추구한다.
빛을 따르지만 결국 자신 안의 빛을 이루려는 것이다.
존재의 행복은 궁극적으로 영원(성)을 이룰 때에야 만족되는 것이다.
존재가 그와 같은 영원성을 향하는 것은 신의 영원성을 따른 것이다.

그 영원(성)을 이루기 위해 존재는 빛과 진리를 따르는 것이고,
그 빛과 진리를 중심으로 하고 원형(원형운동)을 이루는 것이다.

시간이 원형을 이뤄 구형운동[球形運動]을 하고
공간(우주)이 원형을 이뤄 구형운동을 하는 것은
원형(만)이 끝없는 영원(성)을 이루기 때문이다.
우주의 행, 항성이 구형을 이루지 못했을 때는
영원성을 띤 행, 항성 체가 되지 못하고,
구형(운동)과 원형(형태)을 이룬 뒤에야
영원성을 띤 형체를 이루게 된다.

생명(인간)도 영원성을 띄기 위해서는 구형운동을 해야 하는데,
그것은 자체 내에 사방팔방의 면모를 이루는 것으로 이뤄지는 것이다.
인간(생명)의 구형운동은 전체를 향할 때 이루어진다.
개체가 부분(小我)에 머물지 않고, 전체(大我)를 향해 움직이면
전체는 다시 그 개체를 향해 움직이어 구형운동이 시작되는 것이다.
이러한 구형운동(공전)은 그 자체 내의 구형운동(자전)도 이루게 되어,
비로소 영원성을 띤 활동을 전개하게 된다.

구형을 이루지 못한 개체는 그 생명이 이내 마감되고
구형을 이루지 못한 가정 또한 그 생명이 이내 정리되며
구형을 이루지 못한 단체와 사회, 국가(정권) 역시 그 생명이 바로 끝나게 된다.
우주의 모든 존재가 원형(구형운동)을 이루지 못하면 빨리 파편으로 돌아가고
죽은 존재는 수많은 시간을 거슬러야 다시 생명으로 돌아올 기회를 얻는다.*

창조의 목적

창조의 목적은 곧 존재의 목적이기도 하다.
창조의 목적에서 존재의 목적이 유래되기 때문이다.

신이 우주를 창조했다는 말은, 어떤 의지가 자신의 존재 이유를
자신의 피조세계(우주)에 나타냈다는 말이다.

신은 목적이 있어서 인간과 우주를 창조했다.
목적에 의했다는 말은 필요성에 따랐다는 말이다.
그는 필요를 느끼는 존재, 필요성을 가지는 존재이다.

"보시기에 좋았더라."는 말은 "보기 전엔 만족이 없었다."로 연결되는 말이다.
"보시기에 선하더라."는 말은 보기에 "악한 것도 있었다."로 연결되는 말이고
"보시기에 심히 기쁘더라."는 말은 심한 슬픔도 느끼는 존재라는 말이다.
지각과 앎은 경험이 아니면 이를 수 없는 지대地帶의 것이다.

존재는, 아무리 위대한 존재라 할지라도 혼자서는 의미를 가지지 못한다.
존재의미는 자신이 다른 어떤 존재에게 필요가 됨으로써 갖게 되는 것이다
신이 우주를 창조한 이유는, 혼자로는 아무 의미가 없기 때문이고,

창조의 맨 끝에 인격의 감응체로서의 인간을 두게 된 것은
그에 대해 깊이 알아주고 느껴줄 존재가 필요했기 때문이다.

자신을 아름답게 나타내는 것(우주창조),
나타낸 것을 상대와 같이 느끼는 것(인간 창조),
이것이 창조의 목적이고, 존재 이유이다.
존재에게 있어 사랑이 가장 중요한 이유는
사랑이 바로 '같이 느끼는' 것이기 때문이다.

사랑은 홀로 할 수 있는 것이 아니고 상대를 통해 이루는 것인데
그 사랑을 위해서는 자신이 먼저 "자신에 대한 실현"을 해야 한다.
자신을 아름답고 영원한 것으로 실현하고(자아실현),
그 아름답고 영원한 것을 상대와 같이하려는 것(사랑),
이것이 사랑과 인생이 시작되는 자리인 것이다.

자신을 실현하지 못한 존재는 진정한 사랑의 주체자가 될 수 없고,
자신을 실현하지 못한 개체는 진정한 사랑의 대상자가 될 수 없다.
그래서 신은 자신을 아름답고 영원한 것으로 실현(창조)하시고,
대상(인간)에게 과제를 주어, 그 과제를 극복(완성)하는 것으로,
자신의 영원한 사랑의 대상이 되기를 소망하셨던 것이다.

신의 사랑, 이것이 창조의 목적이고 존재 이유이다.
인간이 그의 대상이 되는 길은 인류의 많은 '경전'에서 설명하고 있다.*

물리 이론

1

현대 물리이론에서 시간과 공간을 지배하는 것은 중력이다.
중력으로 인하여, 은하도 우주의 한 부분에 자리한 것이고,
태양도 그 은하의 한 부분에 자리하게 된 것이며
지구 또한 태양의 중력에 의해 현 위치에 자리하게 됐다.
이것이 현상세계를 바라보는 현대과학의 사실이론이다.

하지만 내면세계를 바라보는 의미세계의 진실이론이 또 있다.
현상세계를 바라보는 사실이론은 큰 것을 주체로 하는 객관(적)이론이고,
내면세계를 바라보는 진실이론은 나를 주체로 하는 주관(적)이론이다.

하나의 인격적 생명을 위하여 지구가 필요했고,
그 지구를 위하여 태양이란 중력의 별이 필요했으며
그 태양이란 중력의 별을 위하여 은하가 필요했다.

지구가 정말 태양(중력)에 의해서만 그 실체를 나타낼 수 있었을까?
태양이 아니면 자신을 현재와 같은 모습으로 실현하지 못했으며,

따라서 자신의 열매와 같은 생명의 인격적 탄생을 이루지 못하였을까?

지구의 크기, 성분, 각도, 거리, 회전, 속도 등 지구의 수많은 개별적 사실들은 중력이론만으로는 결코 설명할 수 없는 지구 개체만의 분명한 개별적 내용이고 의지적 내용이다.

태양 때문에 지구가 현 위치에서 그 실체를 나타낼 수 있게 된 것인지,
지구 때문에(지구를 위해서) 태양이란 존재를 필요로 하게 된 것인지,
내재 된 진실의 값은 다 헤아릴 수 없고 가릴 수 없다.
중력으로부터 시공간이 생겨났다는 사실이론과 의지(뜻)로부터 나왔다는
의미이론은 서로 엇갈리는 듯하지만, 우주와 인생은 실은 모두 이처럼
주관과 객관, 진실과 사실의 동시적 관계와 의미 속에 있는 것이다.

인간이란 존재를 두고 보면 우주에서 가장 진화된 특별한 존재라는 진실과
작고 미약한 티끌 같은 존재라는 객관적 사실을 동시에 지니고 있는 것이다.

2

중력이란 무엇인가? 단순히 끌어당기는 힘인가?
단순히 끌어당기는 힘이 중력이고 그 중력이 우주(시, 공간)를 지배하는
법칙이라면 존재의 본질에 대해 더 이상의 진보된 설명은 볼 수 없게 된다.
현대 물리학이 수많은 노력에도 불구하고 양성자와 중성자 사이에서 일어나는
상호작용과 전자와 양성자 사이에서 일어나는 전자기적 상호작용을 규명하지

못하는 이유는 그 물질을 생명의 것으로 이해하지 못했기 때문이다.
물질을 의식이 내재 된 의식적 존재로 이해하지 못했기 때문이다.

한 올 머리카락이 빠른 속도로 나일론(옷)에 달라붙는 현상은 무엇인가?
단순히 나일론(옷)의 중력 때문인가?
머리카락이 나일론(옷)에 빠르게 붙는 이유는 그들이 서로 열성적이기 때문이다.
고도로 진화된 두 열성[熱性]이 강한 합을 이루는 요인으로 작용하기 때문이다.

인간의 정신세계가 사랑과 행복의 중력을 따라 향하고 움직이듯이,
우주의 물리 세계는 빛과 온기의 중력을 따라 향하고 움직인다.

지구가 그만큼의 크기와 속도와 각도로 태양을 공전하고 거리를 유지하고 있는 것은
우주 안의 객관적 물리력(만유인력)만의 아닌, 자신만의 선택(의지)적 작용의 결과다.
그것이 동, 식물의 것과는 비교할 수 없는 길고 긴 시간으로 이어지는 것이라서
그것에 '의지'와 '선택'이라는 명사를 붙이는 것이 의아스럽게 여겨질지 모르나
우주 삼라만상은 이처럼 만유인력만으로는 도저히 설명할 수 없는 '의지'와
'뜻'의 선택적 작용이 분명히 같이하고 있는 것이다.

3

존재는 빛과 함께 온기를 향해 움직인다.
우주를 구성하고 있는 모든 항, 행성들은 모두 이처럼 빛과 온기를 따라
지금의 자리에 배열을 이루고 있는 것이다.

물질세계에 있어서 빛과 온기는 인간에 있어서 기쁨과 행복의 정서로 대비된다.
존재하는 실체는 무엇이든지 이 두 가치를 중력으로 하여 움직이는 것이다.

빛은 내면이 따르고 구하는 정신적 요소이고,
온기는 외면(몸)이 따르고 구하는 물질적 요소이다.
빛과 온도를 따르며 존재는 일정한 정도의 빛과 온기를 개체 내에 유지하고자 한다.
우주의 별들이 각각의 구성과 형태로 공전과 자전, 그리고 속도를 이루고 있는 것은
일정한 정도의 빛과 온기를 유지하고자 하는 별들 개체의 의지에 따른 결과이다.
존재가 자체 내에 일정한 정도의 빛과 온기를 유지하지 못하면
생명력을 잃고 생활권에서 유리된 채 사멸의 길을 가게 된다.

인체의 온도 36.5도는 체내 세포와 기관과의 원활한 신진대사의 결과이고
그것은 물질(세포)과 물질이 지향하고 움직인 상호작용의 결과인 것이다.
인체 내의 각 세포와 각 세포의 움직임은 우주별들의 움직임과 같다.

4

우주 안의 질량이 변하지 않듯 그 에너지의 총량도 변하지 않는다.
마찬가지로 하나의 물체가 가진 정보는 하나도 사라지지 않으며
과거의 원인으로 미래의 결과를 예측할 수 있게 된다.
한 물체가 가진 고유의 물리량이 줄어들지 않는 것처럼
한 물체가 가진 내면의 정보도 사라지지 않는다는 것은
우주 안의 모든 생명체와 그의 정보(영혼) 또한 영존되게 됨을 말하는 것이다.

이것은 오래전부터 종교가 말하고 있었던 환생(부활)이론과 같은 것이다.

지구(별)가 생멸을 거듭한다고 하여도 중도를 실현한 행성 곧,
적정온도의 적정조건을 갖춘 '물 행성'은 다시 나타나게 될 것이다.
현재의 나는 과거에 이미 있었던(살았던) 한 정보(영혼)인 것이고
또 미래에도 다시 생겨날 한 정보(영혼)로 존재하는 것이다.

너는 사라지지 않을 것이고 너와 닮은 이도 사라지지 않을 것이다.
너는 너와 닮은 이이기 때문에 – 고대 피라미드 문서 中

또 질량불변의 이론은 정신세계의 因果應報, 事必歸正 이론이다.
존재가 행하는 실제적 일들은 물론이고, 마음속에 품고 있는 내면의 일도,
결코, 무위로 끝나지 않으며, 그것이 원인이 되어 어떤 결과로 나타난다.
물리 세계가 빈틈없는 질량의 법칙에 의해 지배되고 운영되듯이,
내면세계 역시 빈틈없는 인과의 법칙에 의해 지배되고 운영되는 것이다.
품고 있는 마음이 일시적인 것이면 일시적인 표출로 끝나지만
장기적인 것이 되면 그 사람의 성격과 외형을 형성하게 되고
형성된 성격과 틀은 그 삶의 실상에 적용되어 그 장도를 이끌게 된다.
그래서 종교에서 생활 속의 악행은 물론이거니와 마음속에 작은
사욕[私慾]의 검은 구름이라도 머물게 하여선 안 된다고 하는
가르침은 타당하고 합당한 이론의 가르침이 되는 것이다.

5

물리(존재) 세계에서의 연금(황금)은 특별한 의미를 지닌다.
하나의 물질이 생진멸사生進滅死의 물리(존재)법칙에서 벗어나
영원불사永遠不死의 자유에 이르게 된 것이다.

신이 스스로 영존永存하는 자이듯, 그를 닮아나 영원성을 띠게 된 것이다
영원성을 띈 황금은 물리세계의 법칙을 벗어나 자유자재의 성향을 갖는다.

황금은 신의 영원성이 결정結晶된 물질로,
신의 물리세계 현현이라는 의미를 담은 것이다.

존재는 영원을 향하는 것이다.
생명연금은 물질연금(황금)에서와 같이 생명진화의 종착점이다
생명이 고통의 연단을 통하여 동물 세계의 상식인 이기의 중력을 넘어
영원(영생)으로 나아가는 것은 또 하나의 宇宙結晶을 완성하는 일이다.*

역사[歷史]

1

'도전과 응전[應戰]의 역사'
아놀드 토인비가 본 이 역사적 관점은 아주 타당한 것이다
그의 말처럼 인간의 역사는 도전에 대해 응전하는 역사였다.
하지만 기실 우주의 全 역사 또한 도전에 대한 응전의 역사이다.

모든 존재는 자신의 소망을 따라 움직이고 있는데,
그 소망은 바로 자신의 단점극복 염원이 발로된 것이다
더 나아지고자 하는 것, 더 훌륭한 존재이고자 하는 것,
그래서 더 행복한 존재가 되려는 것,
그것이 모든 존재가 향하는 발걸음이며,
진화를 낳는 발걸음이며,
곧 도전과 응전의 발걸음이다.

2

역사는 되풀이(반복)되는 것이다.
인생도 되풀이(반복)되는 것이다.
인생과 역사가 자꾸 되풀이되는 것은
도전에 대한 응전을 다 못하기 때문이다.
즉 도전은 있되 응전이 없기 때문이다.
그 응전이 성사될 때까지 도전은 계속된다.
뭇 종교에서 말하는 재림再臨의 이야기도 이와 마찬가지다.
이루려던 그 뜻 이상(이상세계)이 성사되지 않았기 때문에
똑같은 역사적 상황을 거쳐, 응전으로 다시 오는 것이다.

존재는 자신의 생에서 자신에게 존재하는 문제(단점)를 도전으로 인지하고
그 도전을 극복하기 위한 응전의 방편을 생을 통해 경주하게 되는데,
도전(단점)에 대한 응전(극복)은 너무도 힘들고 어려운 과제의 것이어서,
수많은 실수와 실패를 반복하면서 생을 경주하게 되는 것이다

또한, 개체가 수많은 실수를 거듭하여 도전을 거듭한다 하더라도
그 응전은 대체로 일생을 다하도록 이루지 못하는 것이 된다.
그래서 개체가 전체로, 전체는 다시 다음 세대의 전체로, 그 응전을
이어가는 것이다
이렇게 단점을 극복하고 하나의 진화를 이어가는 생명의 역사는
'전우의 노래'와 같다.

전우의 시체를 넘고 넘어 앞으로, 앞으로
낙동강아, 잘 있거라. 우리는 전진한다.
원한이야 피에 맺힌 적군을 무찌르고서
꽃잎처럼 사라져 간 전우여 잘 자라.

진화의 역사는 이와 같은 것이다.
할딱이는 수억의 생명을 넘고 넘어
오늘 생명의 창조를 이어온 것이다.

수많은 사연과 질곡의 과정을 통과해서 오늘 생명이 서 있는 것이다.
생명으로 또 한 번의 진화를 이룰 '연금' 또한 이렇게 해서 오는 것이다.
그 혼자 잘나고, 그 혼자 특별하고, 그 혼자 위대한 것이 아니라
수많은 의인의 수고와 희생의 기대基臺 위로 오는 것이다.

3

개체가 자신에게 놓인 단점을 극복하고 한 걸음 나아가는 일은
수억의 생명을 걸고도 그 성사 여부를 결코 장담할 수 없는 과제의 일이다.
그래서 존재는 수많은 시간의 진화곡선을 그리며 역사를 이어온 것이다.

하나의 개체가 자신에게 있는 문제 해결을 위해 일생을 경주하고,
그에 속한 무리들 역시 모두 그와 같은 노력을 생을 통해 경주하며,
그것이 다음 세대와 또 다음 세대의 생 전체로 연이어져,

인생과 역사는 되풀이하는 과정을 보이게 되는 것이다.

이와 같은 과정은 흡사 옛 히브리 노예들의 광야 노정과 같다.
애굽을 떠나 약속의 땅 가나안을 향하는 그 '광야의 길'에서
그들은 수십 일이면 통과할 수 있는 길을 수십 년 넘도록 헤매게 되는데
그것은 하늘이 주는 위기에서 그 한계를 극복하지 못하곤 했기 때문이다.
시련과 고비에서 '불만'과 '불평'으로 좌절했기 때문이다.
그것은 흡사 '단군신화'에 나오는 한국의 '호랑이' 이야기와 같다.
주어진 현실을 감내하지 못함으로 '인간'으로 나아가지 못한 것이다.

존재의 발전과 진화는 주어진 상황을 '감내함'으로 이루어진다.
'오기'와 '불만'의 돌발(돌연변이)로는 '행렬'을 이루지 못한다.

역사에 있어서 도전에 대한 응전은 극한 상황을 통과하며 이루어진다.
"죽고자 하면 살고, 살고자 하면 죽는" 그러한 과정을 지나는 것이다.

존재가 진화의 발걸음에서 극한의 과정을 지나게 되는 이유는
이상을 가진 존재가 '현실'을 걸어야 하기 때문이고,
'현실'의 존재로 '이상'을 향해야 하기 때문이다.
현실을 넘어서야 한다.
'현실(이기)'을 넘어서는 길이 죽음을 넘어 새 생명으로 나아가는 길이다.
새로운 창조로 진화의 언덕을 넘어가는 길이다.✻

신화와 설화

예부터 인간이 간직하게 된 이야기 속에는 '우주사宇宙史'가 포함되어 있다.

세상의 시작과 전개가 어떻게 이루어졌고 결말은 어떻게 진행된다는 것,
어떻게 해면 흥하고 복을 받고, 어떻게 하면 망하고 화를 입는다는 것의
우주적 존재원리와 삶의 내용이 이야기로 전해지고 있는 것이다.
그것은 인간이 꾸미기 이전에, 자연과 같은 자연의 일부였을 때,
자연으로 알게 된 신과 인간의 근본 이야기이다.

이는 실재한 역사 이야기이기도 하거니와 근본적인 존재 이야기인 것으로,
존재 속에 깊이 간직된, 숨어 있는 내력을 풀어 전하는 것이다.
서양(그리스 신화)에서 별자리로 인간사를 보고,
동양(주역)에서 사주로 인생사를 보게 된 것은 우연이 아니다.
전체와 개체, 인간과 우주는 그렇게 축소, 확대되어 연결된 것이다.

유구한 역사 속에서 인류의 가슴을 타고 진행돼 이루어진 신화, 설화는
일반인이 믿고 의지하는, 非 신앙인이 갖는 (일종의) 신앙과 같은 것이다.
믿지 않는 자도 하늘이 '똑같이 사랑하사' 내려준 '經典'인 것이다.

그곳에 나타난 삶의 모습과 내용에 비유와 상징의 형태가 많은 것은
그와 같은 방식이, 교훈 전달에 있어서 효과적이기 때문이다.
선(선을 행하면)이 복을 받고, 악(악을 행하면)이 벌을 받으리라는 것을
이보다 더 효과(효율)적으로 전달할 방법이 어디 또 있을 것인가?
신은 세상 사람들이 누구나 쉽게 이해하고 본받고 행할 수 있도록,
세상 구석구석에 같은 방식으로 이야기를 전해 놓은 것이다.

설화와 신화는 실재한 역사의 생명 이야기이다.
실재한 생명 이야기가 아니면 생명력이 있을 수 없다.
신화와 설화 속에서 신기와 신비만을 붙잡으면 그것은 미신이다.
그곳에서 영원하고 지속적인 근본가치와 뜻을 붙잡아야 진리가 된다.

전해오는 이야기 속에는 우주적 의도와 뜻이 녹아있다.
하나의 단어, 한 구의 대화 속에도 신의 뜻과 진리가 담겨있다.
그 오랜 뿌리에서 지엽의 현실보다 약효 높은 양분을 얻을 수 있다.
설화와 신화, 그리고 경전에서의 모든 가르침은 결국 하나,
"이기를 뒤로하고 이타를 우선하라! (선을 행하라!)"이다.

〈단군신화〉

대한민국의 건국신화인 단군신화는 일부 종교인들에 의해 부정되고 있다.
그것은 그들의 편협 된 신앙의 현주소를 보여주는 것에 불과하다.
단군신화는 존재의 본질에 대한 것을 보여주는 '모델'이다.

곰(곰 부족)이 동물 지경을 넘어 인간(신) 세상을 꿈꾸고,
그 목적을 위해 자신에게 주워진 과제를 극복하는 일은
인간을 비롯한 모든 존재가 가는 행로가 아닐 수 없다.

태초, 곰과 호랑이가 인간되기를 소망했을 때, 신(환웅)은 그들에게
쑥과 마늘로 백일 동안의 동굴기간을 통과하도록 과제를 부여한다.
호랑이는 자신에게 있는 급한 성질로, 그 과정을 인내하지 못하고
곰(熊)만이 그 과정을 인내하여 인간(熊女)에 이르게 되었다.

그 고통의 과정을 통과한 한 존재가 한韓 역사의 주인공이 된 것이다.

그 과제는 실은 이전의 수많은 존재가 하려다 못한 과제의 것으로,
그것이 바로 목숨을 걸어도 결코 성사를 보장할 수 없는 것의 과제였다.

그것은 낙타가 바늘구멍만큼 작은 틈으로 들어오는 빛을 향해
자신의 혹을 자르고 가는 일이고, 유대 백성이 가나안에 대한 소망에
만나와 메추리만으로 광야와 요단 강을 통과하는 일이다.

이 이야기가 (기독교) 자신들 믿음과 다른 것으로 이해된다는 말인가?
이것이 자신들 신앙기대信仰基帶에 해가 된다고 생각한다는 말인가?
그렇다면, 단군상檀君像이 아닌, 먼저 자기 像(신앙)을 철폐해야 한다.

〈백설공주〉

설화에서 ‘거울아, 거울아 이 세상에서 누가 제일 예쁘니?’ 하고
주문하는 왕비는 실은 매우 아름답고 우아한 미모의 여자이다.
그녀가 거울에 매일매일 확인 주문을 외울 수 있는 이유는
실로 그녀보다 예쁜 여자가 거의 없기(나타나지 않기) 때문이다.
만약 셀 수도 없이 자기보다 예쁜 여자가 거울 속에 나타난다면
그녀는 한가로이 거울을 들고 있을 여지조차 없게 되는 것이다.
매일 그 여자들을 처리하러 다니거나 포기하거나 해야 할 것이다.
그 아름답고 우아한 미녀 왕비가 마녀가 되는 이유는 한 가지,
‘이기[利己]’ 때문이다.
그녀는 이미 모든 것을 다 이루고 차지한 여자이다.
탁월한 미모로 왕비 자리에 올랐고 큰소리 칠만큼 인정도 된 여자다
그러한 그녀가 ‘제일’이 아닌 ‘2인자’의 자리로 갈 수밖에 없게 된 것은
그녀의 영혼이 이제 커질 만큼 커졌고 채울 만큼 채워졌기 때문이다.
커질 만큼 커지고 채울 만큼 채워진 영혼은 몸(허리)에 살이 붙거나,
영혼이 투영되는 두 눈 속에 순수로 빛나는 아름다움이 사라지게 된다.
순수로 빛나는 아름다움이 사라진 영혼 속엔 더러운 욕심만이 자리한다.

거울에 자신보다 예쁜 여자가 나타났음을 알려주는 날이 찾아왔을 때,
그 사실을 함께 인정해주고 기뻐해 주고 축하해줬으면 아니 됐을까?
그랬으면 그녀는 ‘마녀’ 아닌 영원히 빛나는 ‘보석’이 되었을 것이다.
그리고 거울은 다시 그녀의 주문에 응하는 답을 주게 되었을 것이다.

〈미녀와 야수〉

야수는 원래 왕자지만 마법에 걸려 야수가 된 것이다.

사람들은 모두 그의 외모만 보고 판단(혐오)하여 가까이 오지 않지만
오직 '미녀'만은 그의 조건적 내용(외모)을 보지 않고 내면을 본다.

그녀는 야수의 불쌍하고 가엾은 처지를 생각하여 친구가 되어주고,
더 나아가, 아무 조건 없이 자신의 보물인 '몸(입술, 사랑)'을 준다.

여성이 보잘것없는 남성에게 자신의 신체를 허락하는 일은
그것이 입술에 불과한 것일지라도 포시布施가 된다.
그 순수한 사랑으로 야수는 마법에서 풀려나게 된다.

사탄이 임금 된 지금의 현실은 마법이 전개된 '마법의 성城'이다.
진실은 베일에 가려 보이지 않고, 거짓이 왕처럼 눈앞에 크게 보인다.
하지만 마법이 풀리고 진실이 현현하는 순간이 곧 다가올 것이다.

인간 현실계에 있어 야수는 정도령의 모습, 빈자貧者, 거지이다.
그가 아무리 못생기고 악할지라도 돈 있으면 야수 아니다.
야수 아닐 뿐만 아니라, (오히려) 미남이다.
돈 있으면 계집(女)은 붙는다. 외면하지 않는다.
이 세대는 정신(순수)의 불이 꺼진 깜깜한 물질의 세대이다.

아무도 야수(빈자)에게 입술을 허락하지 않는다.
그 야수(소자)에게 행하는 것이 바로 그 '님'에게 행하는 것이었는데
오늘에 있어 빈자貧者는 야수 중의 야수이다.

〈흥부와 놀부〉

연금술의 완성은 하늘(제비)로부터 '박씨'를 얻게 되는 흥부 이야기와 같다.
가난하고 못난 바보 흥부가 '착한 마음' 하나로 '황금'의 '주인'이 되는 것이다.

물질문명의 영악한 이 세대는 전통으로 이어온 지혜의 본뜻을 왜곡하여
가난한 흥부를 비하하고 부를 이룬 놀부를 추대하는 세태에 이르렀다.
놀부를 더 바람직하고 이상적인 인간상으로 숭배하기에 이른 것이다.

물론 놀부의 삶과 철학에도 장점이 없고 배울 점이 없는 것이 아니고
흥부의 삶에도 단점과 배우지 말아야 할 내용이 없는 것이 아니다.
하지만 인간에게 있어 무엇이 중요하고, 무엇이 우선인가 하는
본질을 잊은 다음에는 그 어떤 논의도 무의미해지는 것이다.
어느 누가 장점만 있고 단점은 없을 것인가, 하물며 예수까지도….

그 사람이 가진 장점은 다른 각도에서 단점이고
그 사람이 가진 단점은 다른 의미에서 장점인 것이다.
요要는 무엇을 지향하고, 무엇을 우선하고 있는가이다.
경전과 설화는 바로 그것을 말하고자 하는 것이며, 설명하고 있는 것이다.

인간은, 치타보다 느리고 개미보다 게으르나(뭇 동물들보다 단점투성이이나)
'자각'과 '지향(방향)'으로 오늘에 이른 것이다.
흥부가 놀부보다 백 가지 뒤졌다 하더라도 한 가지 인간으로서 해야 할 그것,
한 가지를 앞섰다고 한다면 결국 시간은 그를 내일의 적임자로 이끌 것이다.

'착함'은 일면 '바보'로 통한다.
자기 일에 대해서 제대로 하지도 못하면서 쓸데없이 하는 '상대 배려'
아무도 알아주지도, 인정되지도 않는 '과다 배려'
그것은 정말 말이 '착함'이지, 정도를 넘어선 것으로,
실은 선도 아닌, 바보의 일이라 할 수 있는 것이다.

그럼에도 불구하고 하늘은 그 '바보'를 잊지 않고 사랑하신다.

딸린 식구를 치렁치렁 두고 있으면서 악착같은 면모 하나 갖추지 못해,
구차한 발걸음을 이리저리 옮겨 다니는 흥부는 얼마나 못난 존재인가.
그는 현실의 눈으로 볼 때 단연코 놀부보다 못난 존재이고, 사회악적 존재이다.
하지만 그럼에도 불구하고 하늘은 그런 바보를 통해 역사하시곤 하시는 것이다.

자유와 평화, 조화와 균형의 아름다운 '그 나라'는, 강하고 위대함으로가 아니라
착하고 순수함, 여림을 통해서 이루어지는 것이다.

현자의 돌 메시아는 바로 이와 같은 모습으로 오는 것이다.
잘나고 위대한 것이 아니라 '바보 흥부'의 모습으로 오는 것이다.
그 '착함'으로 하늘로부터 '황금 박씨(연금술)'를 받게 되는 것이다.

〈신데렐라〉

이제까지 인류는 그 반대편 이야기에 대해선 들어본 적이 없다.
이쪽에서 신데렐라가 고통에 버거운 인생의 길을 걷고 있을 때,
저쪽에서 오는 백마 탄 왕자는 대체 무엇을 하고 있었단 말인가?

신데렐라가 재를 온통 뒤집어쓴(신데렐라 원뜻) 모습의 존재로
의붓엄마와 그 언니들 밑에서 온갖 미움과 학대를 받은 것처럼
왕자는 세상 죄를 온통 뒤집어쓴 모습의 존재(야수-거지)이다.

이편의 신데렐라가 눈물겨운 시련의 인생길을 걷고 있었다면
저편의 왕자 또한 눈물의 시련 길을 걷지 않을 수 없는 것이다.
사랑은 결코 일방적일 수 없다. 일방적인 것으로 성사될 수 없다.
설사 이루어진다 하더라도, 그것은 불행한 것으로 종결되고 말며,
절대 영원한 것으로 이어질 수가 없는 것이다.
왕자 주변에 아름다운 여인이 그녀 하나뿐이었을까?
그가 단지 신데렐라의 외모에 반해 첫눈에 혹한 것이라면,
그는 얼마 안 가서 또 다른 미녀에게 반하게 될 것 아닌가?

그렇다면, 왕자가 단지 신데렐라 외모에 반해서 선택하게 된 것이라면,
그 왕자의 사랑과 선택을 받은 신데렐라가 무슨 행복의 상징이 된다고
그 이야기가 오랜 역사 속에서 인류의 가슴을 타고 전해오게 됐을까?

왕자는 신데렐라의 외모에 반한 것이 아니다.
그는 그녀의 깊은 영혼의 세계를 알아본 것이다.
고통 속에 자라고, 그러면서도 착함을 잃지 않고 간직한
그 순수하고 맑은 영혼의 세계를 알아본 것이다.
그것은, 그 역시, 그와 같은 영혼의 코드였기 때문이다.
그 또한, 삶의 뒤안길에서, 질곡의 눈물 어린 길을 걸어왔기 때문이다.

신데렐라의 유리 구두는 일반의 유리구두가 아니다.
투명한 영혼코드로서의 유리구두이다.
다른 여자들은 허영이 크고 욕심이 많아서 그 구두가 맞지 않았던 것이다.
이기[利己]가 없고 심령이 가난한 신데렐라만이 그 크기에 들어맞았던 것이다.

설화 속의 왕자는 사람들이 알고 있는 것처럼,
부귀영화를 몰고 오는 물질계의 왕자를 상징한 것이 아니고
고통의 연금을 이루고 오는 정신계의 왕자를 상징한 것이다.
부귀영화는 선택이지 필수가 아니다.
필수는 착함과 순수, 그리고 진실이다.

〈양치기 소년〉

오늘의 때는 양치기 소년 이야기와 같다.
늑대가 출현하는 종말의 때가 온 것이다.

이제껏 얼마나 많은 양치기(종교가)들이 때를 놓고 거짓말을 해 왔던가!
사람들은 그들의 외침에 따라 자기 일도 그만두고 언덕에 올라갔다.
하지만 그 언덕에서는 아무런 일도 있지 않았다.
모두 다 초라한 모습으로 언덕을 내려왔을 뿐이다.
누가 늑대(종말)를 보았는가? 누가 구원의 소득을 얻었는가!
어느 양치기(약속된 목자)가 구원의 몫을 나눠 줬는가!
소득이 있었다면 나타내 보여줘라!
보일 수 없다면 다 '꽝'이고 '거짓'이다.

이제 사람들은 언덕 위(形而上學)의 손짓과 외침 따윈
거들떠보지도, 귀 기울이지도 않게 됐다.
더는 속지 않기로 작정한 것이다.

그런데 이제 정말 때가 왔다.
물질(질료)이 세상을 지배하는 캄캄한 어둠의 때에
하늘 신랑(정신)의 외침이 들려오고 있는 것이다.

"깨어 있는가! 깨어있는 자 문(현실)을 박차고 나오라!"
마음의 등불을 켠 자, 선한 목자(양치기)의 외침을 듣는 때이다.*

아직 미로 속에 머물고 있는 인간으로서 가장 필요한 것은 그 미로를 벗어날 실타래를 찾는 것(테세우스/아리아드네 신화)인데도 사람들은 엉뚱하게 다른 것, 재물이나 권력, 지식을 쫓는다.

상처란 바로 어떤 사람을 사랑하는 데서 생긴 고통과 고뇌이다.

지옥의 고통 중에서 가장 견디기 어려운 고통은

사랑의 대상과 함께할 수 없는대서 오는 고통이다.

사랑하는 사람과 헤어진 채 살아가야만 하는 상황의 고통이다.

21C에서 21은 이성의 시대를 나타내는 숫자이다.

지금은 과거의 모든 신화가 이루어지는 때이고,

새로운 신화가 만들어지는 때이다. –조셉 켐벨

인간 1

1

인간이 인간 된 연유는 직립(보행) 때문이다.
동물은 김(김승-짐승)의 역사이다.

땅 위에서 활동하는 다른 많은 존재가 김의 수평 이동을 하고 있을 때,
인간이 홀로 허리를 곧추세우고 직립보행을 하게 된 연유는 무엇이었을까?
학자(진화생물학자)들은 '우연 속의 루시'가 그 기원인 것으로 생각하지만
종을 변혁시키는 혁명(진화)의 역사에서 '우연'이란 결코 있을 수 없다.

수만 번의 팝을 듣고 수만 번의 외화를 보아도 '의지'가 없으면
한 구절의 영어(원어)도 해석해 낼 수 없고 발음해 낼 수도 없다.
수억 번의 건반을 두들기고 수억 번의 줄을 튕겨도 '의지'가 없으면
한 소절의 음도 만들 수 없고 그 음을 연주해 낼 수 없다.
생각해보라?
아무 의지 없이, 또는 의지 없는 원숭이가 수억 번 건반을 두들긴다 해서
한 소절의 음악이 우연히 생성돼 나올 수 있단 말인가?
더욱이 그 음이 반복으로 이어져 재생될 수 있단 말인가?

아무 의지 없이, 의지 없는 원숭이가 수억 번의 손놀림을 끄적인다 해서
한 단어의 문자와 글이 우연히 그려져 나올 수 있단 말인가?
더욱이 그 단어와 글이 연속으로 반복돼 이어질 수 있단 말인가?

'진화행렬'은 고통을 통과하는 '의지적 선택' 없이 절대로 이을 수 없다.

인간이 인간 되게 된 원인은 깊어진 삶의 고통 때문이다.
수 천 년을 쫓기고 몰리는 약자의 존재로서 나무에 올랐고,
앞발이 손이 되고 또 동시에 뇌세포의 감각이 발달하는 동안
느끼고 감지하는 고통의 인지도 함께 발달하게 되었던 것이다.
그래서 인간의 조건인, '타의 자각','타의 고통의 인지'에 이르게 된 것이다.

강자는 약자의 고통과 아픈 사정에 대해 잘 느끼지 못한다.
약자가 되어서야 비로소 타의 고통(사정)에 대해 느끼게 되고,
사랑과 자비,인 등의 가치들을 자신의 필요가치로 여기게 되는 것이다.
'자각'은 쫓고 뜯는 쾌감보다 쫓기고 뜯기는 아픔을 더 크게 받아들이게 된
약자로서의 결과이다.

2

인간에 대해 알려면 그에 앞선 단계 '원숭이'에 대해 알아야 한다.
또 원숭이를 알려면 그에 앞선 단계, '표범'에 대해 이해해야 한다.
전설 속에 나오는 킬리만자로의 표범에 대해…….

원숭이가 두 손을 사용하게 된 것은 그가 나무에 오르게 되었기 때문이다.
나무에 올라 생활하고 활동하는 시간이 길어져, 앞발이 손이 된 것이다.
그러면 원숭이는 왜 나무에 오르게 되었을까? 그 이전엔 무엇이 있었을까?

수천만 년 전, 세렝게티의 초원, 아직 지상에 원숭이 그림자조차 있기 전,
처음 나무에 오르기 시작한 동물은 저 유명한 소설(헤밍웨이) 속에,
그리고 저 유명한 노래(조용필) 속에 나오는 '킬리만자로의 표범'이다.

초원의 강자들이 저마다 자웅을 겨루고 약육강식으로 세를 부풀리고 있을 때
적으로부터 쫓김을 당하던 한 약자가 나무에 오름으로써 자신을 지키는 법을
터득하기 시작했다.

"신은 약자를 남몰래 사랑하시사(타고르 시어)" 나무로 도망한 그들이 신으로부터
준비된 하나의 선물을 하달받게 되었으니 바로 만나(과실)와 메추리(잎)였다.

저들이 사냥에 나섰을 때는 배고플 때였고, 사냥에 어렵게 성공했을 때는
극도로 힘들고 더 배고픈 상황이었을 것이다.
자신들이 힘들여 잡은 먹이를 적(하이에나)에게 빼앗기고 나무 위로 쫓겨 와,
저(적)들이 벌이고 있는 '잔칫집'을 구경하면서 그들이 대신할 수 있는 것은
분을 삭이며 입으로 나무 과즙을 '쩝쩝' 이는 것뿐이었다.

역사적인 시간이 흐르고 흘러 이윽고 그러한 삶에 전기를 맞는 때가 찾아왔다.
대지에 가뭄이 닥쳐와 피비린내 나는 살육의 생존경쟁이 최고조로 달할 때,
홀연히 초원을 등지고 킬리만자로의 더 깊은 자락, 산속으로 들어가

숲이 주는 작은 먹이들과 나무의 과실로 삶을 연명하게 되었던 것이다.
시간이 얼마나 많이 흘렀을까. 얼마나 많은 삶의 반복이 있었을까.
어느새 저들의 '앞발'은 '손'이 되고 저들은 나무타기의 달인이 되어 있었다.

나무타기의 달인이 된 저들은 이제 또 하나의 생존조건을 갖추게 된 것이고
완벽한 한 종(원숭이)을 형성하여 남기게 된 것이다.
하지만 존재의 시련은 거기가 끝이 아니고 그 내부에서 또 맞게 되었던 것이니,
내부의 적은 외부의 적보다 더 치밀하고 정교한 것으로 압박해오는 것이다.

그 압박은 그중의 또 다른 약자에게 또 다른 진화를 요구하는 신의 섭리였다.

3

아프리카의 평원, 뭇 생물들이 지구생태의 주인이 되려 하는 군웅할거의 시대,
완벽한 종이 된 원숭이들이 숲 속에 안주해 김승의 단계에 머무르고 있을 때,
두 발을 언덕 위에 딛고 서서 "저 평원이 선조들이 언약했던 '약속의 땅'이다!"
'젖'과 '꿀'이 흐르는 저 땅(평원)으로 가자!"고 외치는 한 존재가 나타났다.

그 원숭이는 바로 '400만 년' 전 가뭄이 온 땅 위를 휩쓸고 기근이 닥쳤을 때,
물과 먹이를 찾아 킬리만자로 산자락으로 들어왔던 그 표범의 후예이다.
처음엔 그저 혹독한 기근을 피해, 가뭄이 끝나는 기간에만 머물 예정이었으나
가뭄이 점차 길어져 한 해 두 해 지나다 보니 어느덧 한 세대가 다 흘러가버리고
다음 세대로 이어지면서 '언약'만 남겨둔 채 산자락에 안주하게 되었던 것이다.

그렇게 숲의 포로로 나무에 寄生(종살이)하던 시간이 어언 '400만 년'이 흘러갔다.
그 세월 동안 저들은 이제 원래의 가졌던 '중원의 야생성'도 잃어버린 채,
나무 살이(애굽 살이)에 완전 동화된 발톱 빠진 원숭이의 모습이 되어있었던 것이다.

시간이 더 흘러 숲이 포화상태에 이르고 자신들끼리 다툼만 늘어가던 어느 날
동료의 싸움을 말리던 한 착한 원숭이가 오히려 무리에게 버림을 받고 쫓겨나
홀로 킬리만자로 산 정상 가까운 산기슭에 은둔해 살게 되었다.

그러던 그 앞에 그의 조상신이 떨기나무 덤불 속에 '불의 형상'으로 나타났던 것이다.
"너는 이제 산기슭을 내려가라. 너의 무리를 이끌고,
내가 너의 선조에게 약속했던 젖과 꿀이 흐르는 '약속의 땅'으로 가라"

그 '언약'은 실은 아주 오래전부터 원숭이무리들이 가지고 있던 것으로,
먼 옛날 평원에서 그곳(숲)으로 들어오게 되었던 순간부터 조상들로부터
전해져, 원숭이무리의 의식 깊은 곳에 전설처럼 깃들어 있던 것이었다.
그 음성을 따라 가나안(평원)을 향한 한 무리의 역사적인 출애굽(숲 이탈)이
벌어졌던 것이다.

평원으로 향하는 그의 양손에는 구름 기둥(막대기)과 불기둥(불, 부싯돌)이 쥐어져,
맹수들이 포진하고 있는 험난한 광야에서의 그의 장도를 밤낮으로 지켜주었다.

4

원숭이는 일찍이 하란(평야)을 떠났던 한 무리의 표범으로부터 나왔고,
인류는 애굽(숲에서의 붙어살이)을 떠난 한 무리의 원숭이로부터 나왔다.

같은 지류인 하이에나가 평원의 한 강자로, 쫓고 쫓는 존재로서,
죽은 고기와 잡힌 먹이를 찾아 세렝게티 평원을 헤집고 다니는 동안,
표범은 상대적 약자로서, 쫓기고 쫓겨 나무로 숲으로 도망갔던 것이고
그곳에서 최소한의 먹이를 끼니로 생존법을 터득하게 되었던 것이다.

이처럼 모든 진화, 생명의 혁명은 약함의 아픔(고통)에서 온다.
악어, 전갈 등 지상의 극 강자들은 수억 년 동안 변하지 않고 오늘에 이르렀다.
변화의 필요성을 느끼지 못하기 때문이다.
그러므로 약함이야말로 '신의 남몰래 사랑을 얻는 자'로, 모든 진화의 동력이다.

그렇게, 개(犬)는 쫓고 약탈하던 강자(하이에나)의 후예였고,
원숭이는 쫓기고 몰리던 약자(표범)의 후예였다.

존재는 가까운 것에서 차별과 구별에 명확을 기하게 된다.
그렇게 '개'는 '표범'과의 가까운 지류에서 성향의 차이로 갈라진
구별의 '상징'이 되어 인류사회에 '대칭된 속어'의 대상이 되게 된 것이다.
'주역'에 犬猿之間이라 하여 그 둘의 관계가 상반된 습성으로 갈라진
앙숙적 존재임을 나타낸 것은 의미 있는 일이 아닐 수 없다.

얼음과 물, 증기와 물의 구분이 온도 1도 차이에 의한 것인 것처럼,
표범과 원숭이, 원숭이와 인간 또한 처음부터 구분이 확연했던 것이 아니다.
각도 1의 차이가 점점 벌어져 확연한 차이로 나타나는 순간이 오게 된 것이다
하지만 각도 1을 이루기까지 얼마나 많은 연단의 과정이 있어야 하는 것인가?

5

존재는 저마다 자신(만)의 버릇을 가지고 일생을 살아간다.
버릇을 자각하지도 못한 채 살아가기도 하거니와, 혹 자각하여 고쳐보려 해도
그것은 대개 평생을 두고도 고치지 못하고 숙제로 남고 마는 것이 되고 만다.
단순하고 사소한 개인의 버릇임에도 그렇게 힘겨운 개선의 과정이 필요한데
종의 본질적 변화를 이루는 진화에 있어서는 두말할 필요도 없는 것이다.
종의 진화와 분화 그리고 잔존의 이유가 여기에 있다.

힘든 줄도 모르고 높은 산을 오르는 등반가의 걸음.
힘든 줄도 모르고 평생을 돌 쌓는 일에 몰두한 수도승의 삶.
그 한 걸음 한 땀, 내딛고 올리는 것에 기쁨과 보람이 없다면 할 수 없는 일이다.
목적에 대한 의무감이 아니라, 그만의 보람과 성취로 한걸음 한발 옮겨간 것이다.
그러나 그러한 발걸음도 진화의 내용을 놓고 볼 때는 아직 그 시작조차 아니다.

진화는 내면극복의 성취 없이 '단순 우연'과 '돌발'로 결코 이룰 수 없는 일이다.

존재의 요점은 '방향'이다. '어디를 향하고, 무엇을 습관하고 있는가'이다.

그 '방향'과 '습관'에 의하여 자신의 모습을 결정짓게 되는 것이다.
인간이 인간 된 이유는 평원으로의 '향함'과 직립의 '습관' 때문이다.
'현재'는 그것의 결과이고, 과거에 가졌던 그 의지의 결과일 뿐이다.

새로운 이상(방향)을 향하는 존재가 인류역사의 시조가 되었던 것처럼
이제 또 '새로운 이상'을 향하는 존재가 새 진화의 역사를 이끌게 될 것이다.
최초의 인간이, 이전의 유인원과 다른 모습의 존재가 아닌 것처럼
새로운 진화를 이끌 존재 또한 인류와 다른 모습의 존재는 아니다.
단지 새로운 방향과 경향으로 새로운 습관성을 이루는 존재일 뿐이다.

이것은 기존 존재가 진화(창조)할 때마다 가졌던 공식 내용으로서
메시아 또한 그 선상에서 인류의 새 진화(구원)를 이끌어가는 것이다.

6

인간의 창조를 결정짓는, 원숭이와 구분을 이루는 진화의 경계선은 어디였을까?

그것은 원숭이가 무리에서 버림을 받고 변방의 산기슭, 또는 더 높은 곳으로
피신해 있다가 신의 음성(내려가라!)을 듣고 그 음성을 따라 발걸음을 옮겨,
마지막 경계, 요단 강을 건너서 그 '언약의 땅'에 안착하는 순간이다.

'요단 강'을 건넌 그 순간부터 그는 이제 그 이전 존재(원숭이)들에게는
다시 돌아갈 수도 없는 새로운 노정과 환경에 들어서게 된 것이다.

하나의 원숭이가 광야(평원)로의 출발을 주장했을 때,
그 선택의 방향이 옳은 것임을 어떻게 알 수 있었을까?
그곳에 '젖과 꿀'이 흐르고, '목마르지 않을 샘'이 있음을 어떻게 알 수 있었을까?
유인원이 숲을 떠나 평원을 간 것은 유대인이 애굽을 떠나 광야로 간 것과 같다.
현실의 숲에서는 누구도 믿을 수 없고, 따를 수는 없는 모험 여정이었던 것이다.

'진화'는 신앙과 믿음을 가져온 족속만이 가질 수 있는 '구원'에 속한 일이다.

그때, 유인원(유대인)의 가슴속에 "두려워 말고 가라"하는 신의 음성이 없었던들,
그때, 그들의 양쪽(양손)에 구름 기둥(막대)과 불기둥(불)의 인도함이 없었던들
그들은 험난한 광야를 통과하고 평원의 이상세계에 착지할 수 없었을 것이다.

이처럼 존재가 진화해 온 고통의 시간은 신이 역사役事해 온 창조의 시간이다.
생명을 넘어서며 걸어온 수억의 시간이 바로 신이 작업해 온 시간이며
자신의 수고를 투입함으로 생명을 빚은 창조의 시간이다.
생명이 건 시간, 인간이 나오기까지의 과정, 그 모든 내용을 헤아린다면
신의 그 창작과정이 얼마나 기막힌 수고의 병행인 것인가를 알게 될 것이다.

오늘 인류는 그 옛날 유인원과 유대인이 가졌던 새 지경 진입의 과정처럼
숲을 떠나 평원으로의 진입, 곧 '모순의 숲'을 떠나 '진리 평원'으로의 진입을
시대적 과제로서 요구받고 있다.

처음 유인원이 그랬던 것처럼 다시 역사의 새 단계로 나아가는 오늘 인류는
그 머리를 물질(돈) 아닌 하늘로 곧추 하고 드넓은 보편의 場으로 가야 한다.

자신을 일깨워, 머리가 땅(이기)의 중력에 구부려 휘지 않도록 해야 한다.
'평원의 이상'을 위하여 '현실 숲에서의 안주'를 떨쳐버려야 한다.

그 옛날 믿음의 존재들이 '구름 기둥'과 '불기둥'의 인도를 따른 것처럼
'정신의 횃불'과 '혀의 막대(글, 책, 말씀)'의 인도로 나가야 한다.
'막대'는 인간 진화에 있어 길이고 방패이고 열쇠이다.

다른 유인원이 현실의 숲에 안주하여 원숭이와 침팬지로 남는 동안
이상의 평원을 향한 존재는 '진화'에로 나아갔다.
'이상'을 향한 자 인간이 되었고, '현실'에 머문 자 원숭이로 남았다.*

인간 2

1

봄 안에 다시 봄이 있듯이,
사물 안에 사물(핵심)이 있고
인간 안에 다시 인간이 있다.

그리고 인간 안에 동물도 있다.

지구가 타 행성과 다른 점이 무엇일까?
외관에서 본 지구는 딱히 다르다 할 것이 없다.
더 아름답다고 주장할 이도 있겠지만
그것은 관점 차를 완전히 극복할 수 없다.
다른 점을 보려면 가까이 다가서야 한다.
그리고 섬세하게 내부 깊이를 들여다봐야 한다.

지구가 다른 행성과 다른 점은
그 안에서 활동하는 생명체, 곧 반응체이다.

이처럼 인간이 다른 동물과 다른 점은 (외양의 차가 아니고)
그 내부에서 섬세하게 느끼고 예민하게 반응하는 감성의 유무이다.
그 감성(들)을 제외하고, 사람이 동물과 다르다 할 수 없다.

도덕에 민감한가! 아름다움에 반응하는가! 우주의 뜻을 자각하는가!

타(이타)를 자각한 것이 인간의 시작이고,
자각한 그 뜻을 온전히 이루는 것이 그 완성이다

2

태초의 인간 이야기이다.

태초의 인간이 외쳤다.
"나는 우주의 중심이다! 나는 만물의 영장이다!"

듣고 있던 새끼 개가 짖었다.
"네가 우주의 중심이라고? 만물의 영장이라고?
우주의 중심이고 만물의 영장이란 증거가 도대체 뭐냐?"

사람은 마땅히 대답할 말이 없었다.
자신이 공룡처럼 큰 것도 아니요
사자처럼 강한 것도 아니요

치타보다 빠른 것도 아니요
새처럼 날 수 있는 것도 아니었다.
거북처럼 오래 살 수 있는 것도 아니고
개미처럼 數를 내세울 수도 없었으며,
학[鶴]처럼 고고하지도 않았다.

사람은 부끄러워졌다.
저들보다 더 치열하게 벌이는 일상의 분쟁,
죽도록 일하고도 얻지 못하는 휴식과 평화 등….
사람은 자신이 이 우주에서 아무것도 보잘것없는
'우주의 떨거지'라는 사실을 자각하게 되었다.
새끼 개의 비난에 반박할 아무것도 없음을 알게 된 것이다.

이것이 태초 사람이 직면하게 되었던 인간의 진면목(자화상)이다.

그러나 한 가지 내심 굽힐 수 없는 것이 있었다.
하지만 그것은 차마 보일 수 있는 것이 아니었으므로,
갈릴레오 선조답게 그저 중얼거릴 뿐이었다.
'느끼는 것' , '자각하는 것' 그것이 너희보다 앞서! 라고….

사람은 느끼고 자각하는 것에서 출발한 것이다.

3

예수는 스스로 '人子'라 칭하였다.
그럼 그는 왜 자칭 人子라 하였을까?
기독인들은 그가 하늘의 아들(天子)이면서 스스로 겸손하여,
그와 같은 호칭을 쓴 것이라 하겠지만, 그것은 그렇지 않다
그는 겸손으로 그와 같은 호칭을 쓴 것이 아니다.

그가 만일 겸손으로 자신을 人子라 칭하였다면,
그것이야말로 자만과 교만이 아닐 수 없는 것이다.
왜냐하면, 그 누구도 그를 신의 아들로 생각하지 않았기 때문이다
아무도 자신을 신의 아들로 여기지 않고 있는데,
겸손으로 그런 표현을 썼다는 것은 말이 되지 않는다.
'人子'는 '犬子' , '巳子'의 상대적 언어이다.
인간은 자신의 이기를 떨쳐버리지 못하면
동물의 자식을 면하지 못하는 것이다.

예수는 세상 사람들이 자신의 이기와 아집을 벗어나지 못함을 보셨다.
모두가 物慾과 色慾에 사로잡혀, 참 인간 된 인간은 없음을 아시고,
스스로 이기를 벗어난 참다운 인간 됨을 지향하신 것이다.

그리고 그렇게 참다운 인간의 뜻을 이루심으로서,
스스로 '人子'라 칭한 것이다.

4

최초의 인간은 누구일까?
성서 기록에 '아담'과 '해와'가 최초의 인간인 것으로 언급하고 있지만
동시에 다른 사람들에 대한 기록(창4/14)이 있는 것과 다른 유물로 보아서,
아담 해와 이전 이미 수많은 인류가 존재했음은 논란의 여지가 없다.

그렇다면 성서의 내용이 틀리거나 아무 의미 없는 것일까?
전혀 그렇지 않다.
성서는 하나의 관점을 보여주고 들려주는 것이기 때문이다.
관점과 자각, 이것이야말로 진짜이고 진실이다.
그리고 그것은 사실에 앞서는 것이다.

아무리 많은 인간이 실재하고 있었고, 살아가고 있어도
'자각'이 없으면 새로움을 설정할 수도, 규정할 수도 없다.
아담과 해와는 새로운 기준으로, 새 존재로 나아가게 된 것이다.
존재가 세우는 '금기'는 새 존재로 나아가는 '조건'이 된다.
그것은 '고통의 조건'으로 서기 때문이다.

아담과 해와는 '따먹지 말아야 한다.'는 자기 내면에서의
신의 음성을 스스로 받아들이면서 최초 인간으로 나아간 것이다.
곧 하나의 '자각'을 자신 안에 받아 새기게 된 것이다.

한민족의 '단군신화' 역사 이야기도 마찬가지이다.
하늘이 낸 시험을 스스로 자기 안에 받아들이면서
'인간됨'으로 나아간 것이다.

하나의 '계명' , '하나의 '금기,' 하나의 '고통'은
존재 진화를 향하는 한 '고개'이자 '지름길'이다.*

2 장

어디로 갔을까. 그 맑은 영혼
순수로 빛나던 까만 눈동자
맨발로 뛰놀던 행복한 시간
금빛 호수 뛰어오르던 물고기
신화처럼 묻혀진 나의 사랑이여

연금술

1

모든 존재가 의미를 지니고 우주 안에 존속하는 것처럼,
모든 언어 또한 의미가 있어 세상 안에 존속하고 유통된다.
'연금'은 우주(신)의 뜻이 함축된 것으로의 의미를 지니고 있다.

하나의 광물이 생진멸사의 법칙을 벗어나 영생의 존재에 이른다는 것은
신의 속성(영원성) 현현과 그 뜻 실현이라는 의미를 지니게 되는 것이다.
그것은 또 생명체로서 연금을 이룰 인간의 길을 예시하는 것이기도 하다.
고대 연금술의 방향이 물질에서 생명(인간)으로 나아간 것은
과학의 관점이 결국 종교와 만나게 되는 것임을 나타낸다.
생명은 종교와 과학, 정신과 물질이 이상과 현실의 장이다.

연금술은 물질작용의 원리이면서 정신활동의 원리이다.
그래서 연금술은 과학이면서도 종교적 색채를 띠는 것이다.
연금은 數를 이루는 과정의, 수학의 개념이기도 하고,
순수를 이루는 과정의, 도덕(철학)의 개념이기도 하다
건강(생명)을 빚는 과정의, 의학의 개념이기도 하고,

아름다움을 빚는 과정의, 예술의 개념이기도 하다.
또 연금술은 언어 속에 숨겨진 비밀을 푸는 것의, 마법의 개념이기도 하다.

2

연금술은 금속을 연단하여 금을 만드는 기술이다.

고대 연금술사들은 오랜 자연적 연단으로 금이 만들어지듯이,
인위적 연단으로도 연금에 이를 수 있음을 생각하게 되었다.
거듭되는 연단과정에 광물에도 어떠한 성질이 있음을 알게 되었고,
그것이 생명의 본질과도 똑같이 연결되어 있음을 알게 된 것이다.
그래서 술사들은 다시 인간본질에 대해 골몰하기 시작했다.
변하는 금속이 연단의 과정으로 변하지 않는 황금이 되듯이,
생명도 영원의 자리에 이를 수 있다는 것을 알게 된 것이다.
술사들의 관심은 영생(불로장생)에 대한 것으로 선회 된다.

연금술에서 마지막으로 필요로 했던 것은 '현자의 돌'이다.
그 단계에서 '중보'의 한 '매개'가 필요함을 알게 되었던 것이다.
연금을 위해서는 불순물의 금속물질을 완전한 순수물질로 이뤄내야 하는데,
그 변화를 이뤄낼 매개가 바로 '어두운 흙덩이' , '현자의 돌'이었던 것이다.

'현자의 돌'은 변하는 물질을 영원히 변치 않는 물질로 인도할 '매개체'이다.
그것은 변하는 인간을 영원히 변치 않는 생명(진리)의 자리로 이끌 존재로,

생명나무로 와서, 접붙이어, 생명나무(영생)로 인도할 중보자인 것이다.

그러나 고대 연금술사들은 그 '현자의 돌'이 어디에 있는지,
어떻게 탄생하고, 어디서 구할 수 있는지 밝혀내지 못하였다.
황금의 연금이 수많은 달굼(연단)을 통해서 이루어지듯,
현자의 돌이 고통으로 달궈지는 존재라는 사실을 알지 못한 것이다.

현자의 돌은 하나의 개체가 '어두운 흙덩이'인 자신의 몸을 화로로 삼아,
끝없는 고통의 풀무(질)로, 영혼의 순수를 빗음으로 탄생하는 것이다.

현자의 돌 메시아가 영혼의 순수를 위해 자신의 몸을 화로로 삼는다는 것은
그가 육체(현실)적 충족에 만족하지 않고 정신적 가치를 추구한다는 뜻이고,
그것은 또, 色을 즐기지 못하고 고통으로 여기는 과정을 걷는다는 뜻이다.
그 과정에서 斷色과 空色으로 절대 순수에 이르게 되는 것이다.

절대 순수에 이르면 미세한 자극과 아픔에도 반응하는 절대 영혼이 된다.
절대 영혼이 되면 자신 몸에 대한 미세한 부분에도 눈(감각)이 뜨여,
세포부활과 함께 감춰져 있던 영생의 비밀 문을 열게 되는 것이다.

3

철이 연금되는 과정은 철인(성인)이 탄생하여 나오는 과정과 같다.
황금은 자신 안에 단 하나의 이물질도 남기지 않으므로 이루어지는데,

철인은 私(이기)가 전무 한 것으로의 절대 순도를 이룸으로 오는 것이다.

철인이 자신의 이물질, 私(이기)를 버리는 마지막 과정에서
세상으로부터 완전히 버림받는 과정을 거치게 되는데,
그것은 그가 이룬 순도에 완성을 이루려는 '신의 섭리' 때문이다.
그렇게 이루어진 철인의 순도는 절대 순도[絕代 純度]가 되어
외부로부터 오는 이물질이나 불순물에 의해 속화되지 않는,
永遠한 색채를 이루는 황금으로서의 영혼이 되는 것이다.

현자의 돌에 의해 놋쇠가 황금으로 빚어지는 과정은
메시아에 의해 인류가 구원에 이르는 과정과 같다.
중보적 역할에 의해 돌 감람나무가 참 감람나무로 접붙여지는 것이다.

현자의 돌 메시아는 사랑과 생명과 진리의 매개자이다.
이루어진 그의 절대 순도는 높은 열전도를 가지게 되어
하늘의 에너지(사랑)를 그대로 감응하여 전하게 된다.

4

금속물질이 현자의 돌에 의해 황금 물질에 이르는 과정은
숲속 원숭이들이 '루시'에 의해 평원에 이르는 과정과 같고,
히브리 노예들이 '모세'에 의해 가나안에 이르는 과정과 같으며,
타락 인간이 '메시아'에 의해 구원(영생)에 이르는 과정과 같다.

구원은 광야(순수-정신의 길)를 거치고, 요단 강(이기의 강)을 건너야 성사된다.

현자의 돌 메시아는 스스로 정신의 길을 따르는 비물질(貧者)의 길을 감으로,
마지막엔 '건축자의 버려진 돌'로서 현실사회에 버림받은 입장에 서게 된다.
그래서 현실인으로 그에게 다가가는 일은 불가능처럼 어려운 일이 되는 것이다.
그것은 현실 타산에 밝은 히브리 노예들이 요단 강 앞에 서 있는 것과 같고,
거대한 기름 덩어리(현실) 혹을 가진 낙타가 바늘귀 앞에 서 있는 것과 같다.
현실의 눈을 감고, '죽고자' 하지 아니면 그 앞을 통과할 수 없는 것이다.

그러므로 현실 인간이 鍊金에 이르는 방법은 年金(국민연금)과 같다.
자신의 삶 속에서 꾸준히 선과 양심의 생활을 하늘에 불입해야 하는 것이다.
현실에서 선(양심)의 길은 고통의 길이고, 그 끝에 '요단 강'이 있다.
그 강은 자신의 힘만으론 건널 수 없고 하늘 지원이 있어야만 하는 것이다.
연금을 열심히 불입한 자, 그 앞에서 하늘의 지원(응원)을 받는 것이다.
"두려워하지 마라, 내가 너와 함께 한다."

그 지원으로 하늘 연금 가입자는 '경계'를 넘어 그 나라에 안착하게 된다.
자기의 경계를 넘어야 한다. 현실의 경계를 넘어야 한다.
선행과 양심, 곧 이타가 그 나라의 보험과 연금이다.
연금술(구원)은 이기(현실)의 경계를 넘으므로 이루어지는 것이다.

인간의 영혼을 채울 황금은 땅에 묻혀있는 물질로서의 황금이 아니다.
자신 속에 묻혀있는 영원한 가치로의 황금이다.
자신 안에 살아 숨쉬는 영원한 생명으로의 황금이다.*

현자의 돌

1

현자의 돌은 연금의 목적을 이룰 최종매개물로,
불순물의 물질을 완전한 순수물질로 변화시킬 매개체이다
근세까지 이어온 연금술은 그 매개물 '현자의 돌' 찾을 수 없으므로
완성을 이루지 못한 채 숙제로 남아 오늘에 이르게 되었다.

연금술사들이 찾은 매개물로서의 현자의 돌, '어두운 흙덩이'는
실은 태초 우주 생명의 탄생에서도 작용했던 우주물질이다.
'탄소'는 뭇 생명 탄생의 '매개'로의 역할을 했던 것이다.

'어두운 흙덩이', '탄소', '버림받은 돌', '현자의 돌'은
동일한 뜻의 의미어로 물질(육체)적 존재이면서 생명(정신)을 이루는 매개체이다.
육을 쓴 몸으로 나서, 정신을 지향하여, 정신의 뜻 '순수'를 이루는 존재이다.
정신의 길을 곧이(貞) 하여, 부자 아닌 빈자의 모습(어두운 흙덩이)이 되고,
전문사회((면허증(조건)으로 평가하는 사회))에서 인정되지 못하고 외면받는
"건축자(전문가)의 버림받은 돌"의 존재가 되는 것이다(누가 17/25).

2

우주의 자연원리는 인간의 삶의 원리와 동일하게 연결되어,
존재는 순간에서 영원으로, 다시 더 먼 영원으로 향한다.
그리하여 인간은 변질되는 유한한 성질의 금속(성)을 넘어,
영원히 변치 않는 성질로의 황금(보석)을 추구하는 것이다.

연금술은 영원한 것, 영원한 생(불로장생)에 대한 비술秘術이다.

연금술사들이 마지막 단계에서 찾았던 현자의 돌은
단순히 제한된 물질, 광물로의 황금 물질이 아니라
인간을 영원으로 인도할 생명 중보자로서의 의미이다.
반석으로 왔으나 '건축자의 버림받은 돌'이 되어 떠났고
다시 돌아와 '영원히 목마르지 않은 샘물'을 이룰
'만세萬歲 반석(생명나무)'을 의미하는 것이다.

'현자의 돌' 메시아는 생명나무(영생)의 중보자로
태초 원죄로 인해 생명나무에 이르지 못하게 된 인간을
다시 접붙이어 영생(생명나무)으로 인도할 '후아담'이다.
그는 인류에게 '영원'을 전하여 주는 자이다.✻

철인哲人

철학은 '지혜'를 사랑하는 것이고
다시, '정신'을 사랑하는 것이다.
철학의 궁극은 철인을 탄생시키는 것이고
또, 철인이 다스리는 세계를 만드는 것이다.
그럼 철인은 어떤 사람인가?
철인은 '철학을 이룬 자'이다.
그는 정신을 철저히 사랑한 자이고,
그래서 그 정신을 사랑한 것에 대한 '열매'를 얻은 자이다.
그럼 '정신을 사랑한 것에 대한 열매'란 무엇일까?

(아이러니하게도) 그것은 '몸'이다.
몸을 사랑하는(다스리는) 법을 얻게 된 것이다.

그로서 그는 몸 마음이 하나 되는 자리,
심신일체心身一體의 자리에 간 것이다.
자신을 사랑할 수(다스릴 수) 있는 자만이 세상을 사랑할 수 있는 것이다.

철인은 정신으로 몸을 다스릴(관리할) 수 있게 된 자이다.*

고 통

1

고통 없는 존재는 없고 고통 없는 인생도 나라도 없다.
고통은 존재의 기쁨 뒤에 있는 生의 필연적 양상이다.

인간은 우주의 축소체로, 우주의 모든 것이 대비되어 나타났는데,
그중 고통은 우주의 어둠과 추위가 대비되어 나타난 것이다
우주물질이 어둠과 빛, 추위와 풀림의 반복으로 진화해 나갔듯이,
생명 진화도 거듭되는 고통을 수반하며 이루어진다.

苦痛은 高通으로, 생명이 더 높은 단계로 나아가는 通路이다.
존재가 더 높은 생명으로 나아가는 진화의 통로인 것이다.
돛단배가 무거운 돛을 달고 험난한 바다를 항해하여가듯이,
고통은 무거운 짐이지만 존재 방향이 되고 에너지가 된다.

고통이 깊을수록, 더 큰 기쁨이 기다리고 있고,
고통에서 허덕이는 생일수록 더 나아간 생이 된다.
인간의 생이 다른 존재보다 더 큰 행복지감[幸福之感]의 것이라면

그것은 인간이 갖게 된 고통이 더 큰 만큼의 비례이다.
고통이 클수록 그 나라는 더욱 선명하다.
추울수록(어두울수록) 별은 더 선명하다.

현재 고통이 깊다면 그의 말을 기억할 것이다.
"그 나라가 가까이 왔도다!"
이 세계가 춥고 어두운 고통의 터널(1, 2차 세계대전)을 지나고,
어둠과 추위의 상징이었던 소비에트 공화국(공산주의)이 무너질 때,
인류 해빙의 봄이 21C, 새천년 언덕 가까이에 다가와 있었다.

2

고통은 존재가 더 높은 단계로 나아가는 진화의 통로다.
피카이아pikaia는 천적으로부터 쫓기고 몰리는 고통에서
빠른 도망을 위해 최초의 척추 물고기로 진화하게 되었고,
에우스테놉테론Eusthenopteron은 물 밖으로 쫓기고 내몰리던
고통의 시간이 길어져 최초의 폐 호흡기 물고기가 되었다.

인간이 지금의 인류에 이르게 된 것도 마찬가지이다.
약자로서 쫓기고 몰리어 높은 곳(나무, 산)으로 도망하던
고통의 시간이 길어지고 길어져 앞발이 손이 된 것이다.

오늘 善으로 고통받는 이들이 새 지경으로 가게 될 것이라는 말은

믿음이 주는 위로의 말이 아니라 자연이 일러주는 실제의 일이다.
진화의 첨단 물질 '물' 또한 고통의 연화 체이다.
뜨거움으로 가열된 물은 어느 순간 기체(수증기)로 화하고,
차가움으로 냉각된 물은 어느 순간 고체(얼음)로 응축된다.
과정은 눈에 안 보이지만 축적한 수고(고통)의 값은 어느 순간 극에 달하고,
마침내 제값을 완성하여 보여줄 것이다.

3

고통에는 두 가지가 있다.

죽음으로 향하는 고통이 있고,
생명으로 향하는 고통이 있다.

애급 밑에서 사는 것(從 살이)도 고통이지만
가나안을 향하여 가는 것도 역시 고통이다.

죄의 법 아래 사는 것도 지긋지긋한 고통이지만
하늘 생명 길을 가는 것은 더 죽을듯한 고통이다.

현실에 족할 것인가,
이상을 따를 것인가.

같은 고통일지라도, 현실의 것이 영원의 것이 아니라면
이상을 향한 선택은 자명한 것이다.
죽을듯한 고통이지만, 현실 너머에는 영원의 '그 나라'가 있다.
진리로 자유케 되는 '무중력의 세계'가 있다.

중도(균형)로 실현되는 '불로不老의 세계'가 진실로 있다.*

순수

1

순수는 금속의 연금을 이루게 하는 가장 중요한 조건이다.
연금의 전 과정이 바로 순수를 이루는 과정인 것이다.

그것은 생명의 연금을 이루는 조건에도 똑같이 적용된다.
모든 종교는 욕심을 버리는 無의 덕목을 핵심 덕목으로 삼는다.
인류가 순수의 가치를 고귀한 것으로 여기고 추구해 온 이유는
생명 스스로가 스스로의 연금(영생)을 이루는 길에 그와 같은
가치의 요소가 중요한 덕목이 되는 것을 감지했기 때문이다.

금속물질이 순수를 이루지 못하고 불순물이 남아있을 때,
그것은 아직 자기磁氣의 영향 아래 있고, 생진멸사의 굴레 안에 있다.
불순물을 제거하고 완전 순수(황금)에 이른 뒤에야
비로소 자기의 영향을 벗어나고 영원불사의 자유에 이른다.

이기(罪)의 불순물을 다 버린 절대 순수에 이른 생명生命은
生老病死의 지배권을 넘어, 생명나무(영생)에 이르는 것이다.

2

'한'이라는 말은 '하나'라는 것과 '끝이 없다'는 의미를 지닌다.
極은 이처럼 서로 통하는 일면을 가지는 것이다.
순수와 色(淫亂)도 이와 마찬가지다.
'순수'가 이기가 全無한 자리의 것이라면
'색'은 이기의 極을 이루는 자리의 것이다.

그럼 진정한 순수란 무엇일까?
진정한 순수는 개체내의 불순물(私-이기)이 전혀 없는 것이 아니라
있는 불순물(私)이 에너지화되어 생명(公)의 단계로 나아간 것이다.
아무것도 없음(모름)이 아닌, 모든 것을 포함하고(알고) 이루는 것이다.
그것은 흡사 진흙에서 피어나는 연꽃과 같다.
더러움을 생명화해서 꽃을 피워내는 것이다.

어둠을 에너지(배경)로 하여 빛은 더욱 빛나고,
빛으로 인해 어둠은 비로소 숭고해진다.

영혼의 연금을 이루는 현자의 돌 메시아는
그렇게 자신 안의 불순물을 생명화한 사람이다.
어두운 흙덩이(肉)의 에너지(色)를 정신으로 승화시킨 사람이다.
생명화된 순수는 더는 불순물에 속화되지 않은 절대순수가 되어
세속적 굴레나 규범에 메이지 않고 聖俗을 초월할 수 있게 된다.✻

양심良心

1

지금까지 인류는 양심을 통하여 善의 삶을 살도록 지침 받아 왔다.
사랑(基督)과 자비(佛), 인자(儒)로 통하는 모든 종교의 가르침들은
이 善의 가치에 관한 다른 표현양식들이다.
善은 인간이 他를 자각함으로 필연적으로 갖게 된 양심의 발현물이다.

양심은 생명의 총체적 정보의 바탕 위에서 성립된 것으로,
진화의 결정체로서의 인간 양심은 동시에 생명 활동에 있어,
최고의 진보된 가치 게시판으로의 역할을 하고 있는 것이다.
그래서 양심에 의해 무엇에 대한 옳고 그름을 전해주는 것들은
단지 '도덕이냐','아니냐'를 넘어 그 생명의 실질적인 長途에
'해害가 되느냐','아니냐'를 전해주고 있는 것이다.
그러한 양심을 통해서 인간은 마치 천둥에 앞서 번개가 번쩍이듯이
자신 행사에 대해 옳고 그름을 감지할 수 있게 되는 것이다.

지금까지 인류가 양심으로 바탕 된 善을 최고의 덕목으로 여겨온 이유는
언젠가 열음하게 될 '善의 結實'을 마음의 세계에서 알았기 때문이다.

인간은 양심을 통하여 결코 맹목적이지 않은 그 뜻을 실천해왔던 것이다.
하지만 모든 것이 그렇듯, 양심의 실천으로 얻어지는 선의 결실 또한
단번에 얻어지는 것이 아니고 수많은 축적으로 얻어지는 것이다.
마치 우주가 오랜 빛과 온기의 축적으로 자신의 꽃, 생명을 피웠듯이
마음의 빛과 온기를 따르는 양심의 열매 또한 축적으로 얻어지는 것이다.
양심으로 이어지는 이타와 선 등은 우주에서 가장 중요한 것이므로
그 결실의 열매 또한 가장 마지막에 나타나게 되는 것이다.

마음의 세계에서 말세라 이야기하는 이때는 바로 그의 값,
즉 '양심'에 의한 '善의 값'이 결실을 맺게 되는 때이다.
'쭉정이'는 불태워지고 '알맹이'는 영원창고에 들여지는 때이다.

2

정신의 '밝음'으로 통하는 양심을 버리고 인간이 행복해질 길은 없다.
양심이 바로 神의 기쁨과 행복, 빛과 온기가 임하는 자리이기 때문이다.

타인에게 상처를 준 사람은 이미 자신의 영혼에 상처를 남기게 된 사람이고,
타인의 생명을 빼앗은 사람은 이미 자신의 영혼이 죽게 된 사람이다.

양심을 어겨 찾아든 비수는 그 영혼에 한 날 한 날 자국을 남겨놓는다.
그 한 날 한 조각은 하나도 빠짐없이 축적되어 그 영혼에 새겨지고
그 꼴(몸)과 상(얼굴)을 이루며, 그 생의 장도를 이끌어가게 된다.

그러므로 자신 영혼을 아름답게 지키는 일은 세상의 무엇보다 우선할 일이다.
자신의 영혼을 아름답게 지키는 일은 온 우주를 지키는 일보다 값진 일이고,
자신의 영혼을 사랑하는 일은 온 우주를 사랑하는 일보다 가치 있는 일이다.
양심의 命을 어기고, 악으로 온갖 것을 얻은들 무슨 소용이 있겠는가!
온 천하를 얻더라도 자신의 영혼을 잃으면 아무 소용없는 일이다.

인간의 내면세계에 있어 가장 밑바탕에 자리하고 있는 양심은
삶의 터전 위에 건물(건축)을 올리는 기둥의 주초와 같다.
그 기초가 잘못되면 다른 모든 것은 쓸모없어지게 되는 것이다.
작은 틈(흠집)으로도 건물은 기울고 생명력을 잃게 되는 것이다.
영혼의 세계는 이와 같다.
그래서 '따먹는 날에는 죽으리라' 한 것이다.

"이타적 가치(善)로 자신의 영혼을 반짝이게 하라."
마음속 양심으로 자신의 영혼을 반짝이게 하는 일은,
하늘이 우주의 별을 반짝이는 일보다 거룩한 일이다.✻

내 안에 도에 뜻을 둔 즐거움이 있으니
부정과 불의로 얻은 부귀영화 따위는
내게는 저 하늘의 뜬구름과 같도다. – 공자

선진미善眞美

1

인간은 마음속의 情 知 意의 기능(정서)에 의하여
善·眞·美의 가치를 생활 속에서 이루게 된다.

마음속에 情적인 정서는 善을 향하고
마음속에 知적인 정서는 眞을 향하며
마음속에 意적인 정서는 美를 향한다.

존재의 목적(뜻)은 美를 나타내자는 것이다.

美는 인간이 구하는 궁극의 가치일 뿐만 아니라
신이 인간에게 바라는 가장 큰 조건의 가치이며
모든 존재가 갖춰야 할 가장 중요한 조건의 가치이다.

그런데 美는 어디서 오는가?
美는 조화와 균형에서 온다.

조화롭고 균형 있는 소리는 아름다운 음악을 만들고
조화롭고 균형 있는 색채는 아름다운 그림을 만들고
조화롭고 균형 있는 자연은 아름다운 경관을 만든다.

연극이나 영화, 미술과 음악, 의복이나 음식 등 생활 속에 나오는
모든 美의 요소는 다 조화와 균형을 통해서 나온다.
이와 같은 인간의 美的 追求慾은 창조(자)를 통해서(닮아서) 온 것이다.

인간은 美를 쫓는 그 궁극에서 자신의 美를 창조자 앞에 나타내야 한다.

2

美를 이루려면 먼저 知와 善을 이뤄야 한다.

知를 이뤄야 美를 나타낼 수 있고,
善을 이뤄야 知에 도달할 수 있다.

美를 이루려면 먼저 그 바탕, '조화와 균형'을 이루어야 하는데
조화와 균형을 찾아 이루려면 그 이루는 방법을 알아야 하고(知)
그 이루는 방법을 알기 위해서는 그 앞서 '善'을 이루어야 한다.
욕심(이기-惡)으로 마음의 눈이 흐리지 않아야 한다.

善으로 마음을 밝혀야 혜안을 갖게 되고,

조화(균형)로 가는 길을 보게 되는 것이다.

피조 세계에 있어 아름다움을 나타내는 것들은 모두 善을 이룬 것들이다.
善을 이룬 존재만이 眞을 이루고 美를 나타내는 존재로 설 수 있는 것이다.
善이 眞을 이루고, 眞이 美를 이루는 과정은 진화의 과정과 같다.
그러므로 당장(현재)의 善이 당장의 美로 나타나지는 않는다.
마찬가지로 당장의 惡 또한 당장의 추[醜]로 나타나지 않는다.
"도둑같이 임하리라"(계3/3)와 같이 언제 현현될지 모른다.
그러므로 언제나 깨어 있어, 善의 정도를 걸어야 하는 것이다.

美的 존재는 다 善을 통해서 나온 것이다.
그래서 신은 창조의 단계마다 나타나온 세계를 보며
'보시기에 선하더라(창1/00)'고 하셨다.

善은 인간사회(존재세계)에 있어 최고의 가치다.
최고의 善을 이룬 사람은 최고의 아름다운 사람이 되고,
최고의 사랑스러운 사람이 된다.*

선[善]

1

인류역사상 가장 큰 이름의 사람 예수,
그는 자신을 가리켜 '선한 목자'라 했고,
사람들에게 '선을 행하라'는 주문을 남겼다.

그럼, 善(착함) 이란 무엇일까?
사람들은 누군가에 대해 '착하다.' 또 '악하다.'고 하지만
자신과 주변(가족)에 대해서는 악하다고 하지 않는다.
선, 악의 기준을 모르기 때문이다.

톨스토이는 이 세상에서 가장 중요한 일이 바로
"지금 곁의 사람에게 善을 행하는 것"이라고 단정했다.
하지만 그 선이란 것이 대체 무엇이란 말인가?
善이란, 타(타인)를 생각하는, 타인을 위한 모든 것이다.
타(타인)에 해가 되지 않나 돌아보는 것, 이것이 (최상의) 善이다.

인간은 '타에 대한 자각'으로부터 시작된 것이고,

그것은 필연적으로 '이타'를 의무로 하게 된 것이다.

인생에서의 善은 도로 위에서의 운행(운전)과 같다.
남에게 해가 되지 않는 것이 최상의 운행이 되는 것이다.

자신의 길을 가라.
대신 타(타인)의 방해가 되지 마라.
그것이 곧 善이다.

2

이 세상에서 가장 중요한 때는 '지금' 이고,
가장 중요한 사람은 '지금 곁에 있는 사람' 이며,
가장 중요한 일은 지금 곁에 있는 그 사람에게,
"선을 행하는 일" 이다. – 톨스토이

오늘날 인류가 이 말에 전적으로 동의할 때,
'선이란 대체 무엇일까?'를 명확히 해야 한다.

명확하다는 것과 그렇지 못한 것은 엄청난 차이를 불러온다.

병(병균)을 명확히 아는 것과 그렇지 못한 것의 차이로 생사를 가르고,
정의를 명확히 아는 것과 그렇지 못한 것의 차이로 의인과 죄인이 갈리며,
죄(악)를 명확히 아는 것과 그렇지 못한 것의 차이로 천국과 지옥을 오간다.

'선'을 '선행하는 것'이라고 생각한다면 그것은 선을 잘못 아는 것이다
선행하는 것이 선이라면 이 세상 아무도 선한 자가 되지 못할 것이고,
이 세상 사회 또한 영원히 선의 사회가 되지 못할 것이다.

'지금 만나게 된 그 사람에게 선을 행하는 일'이란,
다름 아닌, 그 사람에게 '해를 주지 않는 일'이다.

"우리를 반대하지 않는 자는 우리를 위하는 자이다(막9/40)."

3

인생은 도로 위에서의 운행(교통)과 같다.
교통은 다른 사람에게 선을 베푸는 것으로 이루어지는 것이 아니다.
자신의 갈 길을 가되, 타의 운행에 방해되지 않아야 하는 것이다.
남에게 해를 주지 않는 것이 바로 그에게 선을 행하는 것이 되는 것이다.

만일 누군가에게 크나큰 자선(기부)으로 도움과 선행을 베풀었다 하더라도
행사를 주관하며 오가는 그 발걸음에, 다른 누군가에게 '해'를 주었다면
그것은 높은 점수로의 '선'으로 자리매김 될 수 없다.

어떤 일에 있어서 좋은(높은) 점수를 얻고 획득할 방법은
그 득점(선)을 높이는 것이 아니라 그 실점(악)을 줄이는 일이고,
장점을 많게 하는 것이 아니라 단점을 적게 하는 일이다.

美(美人)는 '나온 부분'이 아닌 '들어간 부분'에 의해 결정되는 것이고
명작(예술)은 그 작품의 섬세함에서 위대함이 결정되는 것이다.
이 양식은 삶의 내용과 법칙에서도 똑같이 적용된다.

그러므로 '지금 만나게 된 사람에게 선을 행하는 최선의 일'은
그 사람에게 누累가 되는 건 아닌지 자신을 반성하는 일이다.
자신의 행동을 반성하는 것이 모든 선의 기초가 되는 것이다.

만약,
지금 곁에 있는 사람에게 선을 행하는 것만이 선이라고 한다면
지금 만난 사람이 측면이나 후면을 통해 만난 것일 수도 있고,
한 사람이 아닌 다수의 사람과 만나게 된 것일 수도 있으며,
또 잠깐 스치거나,
내가 지난 자리를 타인이 찾아와 이루어지는 간접 만남일 수도 있는데
이때 무엇으로 그 모든 사람들에게 온전히 선을 행할 수 있단 말인가!

그러므로 선이란 자신의 생활을 반성하는 것이다.

타인을 의식하고 있는가? 그렇지 않은가!
타인을 배려하고 있는가? 그렇지 않은가!

이 세상에서 가장 중요한 일은 자신을 성찰하는 일이다.

4

'지금 곁에 있는 사람에게 행해야 할 선'에 대한 것은
삶의 현장에서 더 분명하게 집어 정리할 필요가 있다.

'지금 곁에 있는 사람'은 일터에서 만나는 계약자일 수도 있고,
운전(운행) 중에서 만나는 전후좌우 차(운전자)들일 수 있으며,
또 화장실 등에서 스치며 접하는 수많은 직간접 접촉일 수 있다.
'지금 곁에 있는 사람'이란 그렇게 일상 중 틈틈이 접하는 모든 사람들이다.
그 직간접으로 만나고 접하는 모든 사람들에게 선을 행해야 하는 것이다.
그 상황에서 '곁의 사람에게 선을 행하는 일'이란 베푸는 것으로서의 '적선'
이 아닌, 해를 주지 않는 것으로의 '솔선'이 되게 되는 것이다.

오늘 일터에서 만난 계약자에게는 거짓(과장) 없는 것으로 해야 할 것이고,
운행 중의 다른 차량에는 흐름과 운행에 방해를 주지 않아야 할 것이며,
화장실 등의 공공장소에서는 불쾌감을 주지 않도록 행동을 삼가야 할 것이다.

人間의 의미, '사람 사이'는 어원으로 공공적 존재임을 뜻한다.
공공으로서의 일, '타'을 망각하고 선의 실체로 설 수 없는 것이다.
지금 오가며 움직이는 모든 일이 타 의식과 연결돼 있어야 한다.
선은 내일 저기의 일이고 값이 아니라 지금, 여기의 일이고 값이다.
내일 저기가 필요 없다는 말이 아니라 지금 여기서 우선돼야 한다는 말이다.
내일 저기는 다 알 수 없는 것이고, 지금 여기는 분명하고 확실한 것이다.

5

선행만이 선이 아니고 악행만이 악이 아니다.
자기 성찰이 없고 반성 없는 삶의 양식과 움직임은 다 악이다.
성찰 없는 개, 돼지의 삶의 양식과 움직임은 인간에게 악(폐해)이 된다.
그래서 동물은 묶이고 갇혀서 양육된다.
성찰 없고 반성 없는 인간의 생활양식은 이와 같다.
그래서 그 때문에, 선한 사람들에겐 필요도 없을 온갖 끈(각종 법규와 수칙),
턱(담), 울타리(장벽)를 남겨 폐해를 옮겨주게 되는 것이다.

도로, 공원, 화장실 등 일상 공간에서의 작은 내용들도 그렇거늘
정치 사회 교육 문화 등 삶의 현장에서의 내용들은 어떻겠는가.

그래서 善은 禪으로 통한다.
禪으로 자신을 명경明鏡이 해야 한다.
善의 궁극은 자아 성찰에 이르는 것이고
자아 성찰의 궁극은 자기 몸을 (돌볼 줄) 아는 것이다.

선(양심인)이 본능적으로 법과 체제(울타리)를 싫어하듯이
(양심은 자율적인 방법으로 그 모든 것을 이루고자 한다.)
악마는 본능적으로 반성과 돌아봄(禪)을 싫어한다.
禪은 악을 물리치고 구원으로 향하게 하는 실질적 생활양식이다.

인간은 그 섬세함으로 완성에 이르게 된다.
손끝의 섬세함(도구의 사용)으로 유인원에 이른 것처럼
감성의 섬세함(타인의 자각)으로 참인간(眞人)에 이르는 것이다.
행동거지 하나하나에 의식과 감성이 맞닿아 있어야 한다.

인간의 동물과 다른 점은 타에 대한 자각, '성찰'이다.

6

누구나 한때 자기밖에 모르는 생물학적 초보(동물)의 시간을 가진다.
운전의 초보자가 가는 길에 스트레스와 짜증, 분노가 있을 수 없다.
자기 길 하나 살펴가는 길에 정신없고 바쁠 뿐이다.
생의 서툰 자가 가는 길도 이와 같다.

자기 가는 길 하나밖에 모르는 생물학적 초보(동물)에게
자살 같은 것은 있을 수 없고 남을 생각할 줄 아는 사람,
지각 있는 사람이 그와 같은 함정 속에 빠지기 쉽다.
도로(사회)에서의 흐름, 선과 악이 다 보이기 때문이다.
철학자 예술가 선각자들이 더 큰 고통의 삶을 살아가게 되는 이유이고,
선이 고통으로 통하게 되는 이유이다.

7

언어는 신의 뜻이 담겨있는 天器이다.

선[善]은 양[羊]의 말[言]이다.
자신을 내세우지 않고 내세울 수도 없는 작은(조용한) 소리이다.

양[羊]의 입[口]이 선[善]이 되는 이유는 초식하는 입[口] 때문이 아니고
작고 조용한 소리로 자신을 표현하고 나타내는 입[口] 때문이다.

"입으로 들어가는 것이 사람을 더럽게 하는 것이 아니라
나오는 것(言)이 더럽게 한다(막7:15~16)"는 그의 말처럼,
내뱉는 것(말)은 먹는 것(음식)보다 중요한 기준이 된다.
지금은 실로 다른 무엇이 아닌, '목소리'로 사는 시대이다.
목소리 큰 사람만이 살아남고 득세하는 사회이다.
이상 사회는 선(만)이 남고 선이 득세하는 사회이다.
작고 연약한 소리, 양의 소리가 대접받는 사회이다.

8

지금까지 선의 값은 내일이었다.
포도즙이 '이틀간의 남국의 햇볕'을 생략하고 영원의 곳간에 들 수 없듯이,

선의 값은 내일로, 내일 승자(주인공)가 되는 쪽으로 방향을 잡아온 것이다.
영원의 내일을 위해 고결한 가치를 부여잡고
오늘 현실의 따가운 고개를 넘어온 것이다.

삶과 죽음의 一生은 실은 보잘것없는 것이다.
중요한 것은 그 보잘것없고 하루살이와 다를 바 없는 짧은 일생이
영원으로 이어져 있다는 것이다.
윤회로 이어진 영원 속에서 善만이 결국 하늘 곳간에 들여진다는 것이다.*

가장 친절한(선한) 자가 진화의 최종 승리자가 될 것이다. – 대커 켈트너

악-악마^惡魔^

1

악-악마^惡魔^란 무엇인가?

지금까지 인류가 윤리와 도덕을 앞세워 유토피아를 소망했어도
그것을 실현할 수 없었던 이유는 그 행로를 방해하고 있는 주체,
악마^惡魔^에 대해 몰랐기 때문이다.

많은 치리자^治理者^들이 그 나라를 외쳐 부르곤 하지만 아서라,
악이 진정 무엇인지 모르고서 어떻게 그 나라를 꿈꾸려 한단 말인가?
실체와 정체를 모르고서 그 실현을 위한 시작도 할 수 없다.

'악마'는 인간 개체 속에 내재하는 '내재적 존재'이다.

선(신)이 존재 생명을 더해주기 위해 가부좌로 기다리는 존재라면
악마(이기)는 남의 생명을 빼앗기 위해 똬리 틀고 노리는 존재이다.

세상의 구원자 메시아가 자기(私-이기)의 개념이 없는 사람이라면,

세상의 파괴자 악마는 그 반대, 자기의 개념만 있는 사람이다.

그 악마(이기)가 지금 이 세상을 움직이고 있는 주체이며,
예수가 일러 가리킨 “세상의 임금(요12/31)”이다.

2

악마는 이빨이 날카롭게 선 존재이다.
이빨은 이발[利發], 이기가 발로된 결과이다.

오늘, 이빨(이기)의 날(독)이 날카롭게 선 존재는
그 입지가 좁아지고 멸망(멸종) 가까이 있고
인간의 것은 그 끝이 뭉개져 있다.

악마의 장도는 금을 찾아 나선 서부 사내들의 이야기와 같다.
처음엔 큰 무리가 의기투합하여 희망찬 출발을 시작하지만
시간이 지나며 이기가 발동되어 동료를 제거하기 시작하고
최후에는 마지막 동료까지 제거하고 혼자서 차지하는 것이다.
그리고 결국엔 저 자신도 고향에 돌아가지 못한 채 죽어,
황야의 독수리 밥이 되는 것으로 종결되고 마는 것이다.
이것이 악마(이기)가 가는 걸음이고, 악마가 이끄는 세상의 종말이다.

3

악마란 악행을 하는 사람이 아니고 이기를 생각하는 사람이다.

이기는 생활 속에서 여러 가지 형태로 나타난다.
상황에 따라 인자함과 온화함, 친절함을 나타내기도 한다.
하지만 자기 이익에 조금이라도 불리한 상황이 오면
태도는 돌변하여 악마 근성을 드러내고 마는 것이다.

악마는 흡사 개犬科 동물과 같다.
자기 밥그릇이 침해되면 그 태도가 180도 달라지는 것이다.

악마는 양의 탈을 쓰고 선행을 포장한다.
또 다른 이기, 사회적 평가와 이미지를 위해 하는 것이다.
선은 오히려 자신의 사회적 평가와 이미지를 모두 내던지고
사회 약자나 전체를 위해 악역을 마다치 않는다.
그러므로 선과 악의 극치에선 그것이 선인지 악인지,
선의 길(사람)인지 악의 길(사람)인지 구분이 힘들게 되는 것이다.

이렇게 하여 역사의 진실은 베일에 가려져 왔다.
의인은 이인자二人子 또는 낙오자가 되어 무대 뒤에서 뒤척여왔고,
역적이나 죄인으로 몰려 시대의 뒤안길로 사라졌다.

역사가 그렇게 반복되어, 이제 사람들은 '선의 보수'를 믿지 않게 됐다.
"선을 행하면 복을 얻으리라"는 교훈을 오늘 누가 깊이 간직하고 있는가!
오늘 현대인의 가슴속엔 오직 악마의 교훈만이 깊이 간직되어 있다.
"약삭빠르게 너의 기질(이기)을 발휘하라! 아니면 이 시대에서 퇴출이야!"

4

악이란 악행을 하는 것이 아니라,
이기(小我)를 생각하는 모든 것이다.

그 이기의 맨 끝에 물질(돈)과 色이 있다.

남자에게는 색이, 여자에게는 돈이
이기적 자신의 마지막 장막이 된다.

남자와 여자, 두 주체가 자신들 앞에 놓인 그 장막을
걷어 젖힐 때 진정한 사랑의 세계가 열릴 것이다.

5

선한 목자의 정체는 이타(公)이고,
악마의 정체는 이기(私)이다.

선한 목자는 '통합'과 '소통'의 주체이고
악마는 '분열'과 '벽(그리스어)'의 주체이다.

선한 목자는 입의 막대기, 참말을 자신의 무기로 쓰며(이사야11/4),
악마(뱀)는 입의 막대기, 두 가닥 혀(거짓말)를 자신의 무기로 삼는다.(창3/5).

선한 목자는 진리의 말을 타고 정도[貞道]의 길을 가고,
악마는 거짓말을 타고 物神의 저잣거리를 활보[闊步]한다.

악마는 사탄이다. 私를 타고 활동하는(움직이는) 놈이다.
선한 목자는 자신을 公化 함으로써 사탄을 떨어낸 사람이다.

6

지피지기[知彼知己]면 백전백승[百戰百勝]이다.
이제까지 인류가 '그 나라'를 이루지 못한 이유는
악마의 정체와 그의 '무기'를 몰랐기 때문이다.

사회 속에 꼭꼭 숨어있는 악을 척결하고 선을 세우려면
악(악마)의 정체와 그 무기를 먼저 명확히 알아야 한다.

악마의 정체는 뱀이고, 뱀의 정체는 이기이다.
그리고 그 입속에는 둘로 갈린 혀가 있다.

악마는 그 '발 없는 막대기' 거짓말을 무기로 하여
무차별 폭격과 종횡무진 활약으로 인간 세상을 교란시켜온 것이다.

거짓(말)이 발붙이지 못하게 하는 사회가 되어야 한다.
거짓(말)을 가장 큰 중죄로 여기는 사회가 되어야 한다.
인류는 어릴 적 부모님의 말씀을 교훈으로 삼아야 한다.
"거짓말을 하지 마! 네 잘못(행동)은 용서할 수 있어도
거짓말은 용서할 수 없어!" '절대로!'

거짓을 중죄로 다스리는 것은, 그를 용서해주기 위함이다.

7

거짓말은 악마가 사용하는 가장 큰 무기, 戰車이다.
그 전차 때문에 악마의 전천후활동이 이뤄지는 것이다.

인류사회는 거짓을 금하는 것으로 그 활동로를 봉쇄하고,
요동치는 악마의 활개를 상당수 접게 할 수 있을 것이다.
하지만 마지막 하나, 그 거점지인 '要塞'가 아직 남아 있다.
그 마지막 거점지를 찾아내지 못하면 싸움의 종결은 요원하다.
오랜 고통스러운 싸움을 종결하고 평화의 깃발을 날리게 하려면
악마의 그 마지막 거점지인 '要塞'를 찾아 점령해야 한다.

지금까지 인류는 그 요새가 어디(무엇)인지 정확하게 알지 못했다.
정확하게 알지 못함으로 발본색원[拔本塞源] 또한 할 수 없었던 것이다.
땅속 깊이 자신의 몸(정체)을 숨긴 악마에게 땅 위 수많은 포탄은 소용없다.
정확하게 포착하여 한 방에 날려 보내야 하는 것이다.

악마의 정체를 밝힌다.
점령은 믿고(알고) 정진하는 자의 몫이다.

악마의 정체는 巳(뱀)이다.
뱀의 정체는 己(이기)이다.
그리고 그 이기의 마지막 요새는 바로 色이다.

악마는 色江(요단 강) 기슭에 몸을 숨긴 채 똬리를 틀고
가나안을 향하는 모든 인간들의 행로를 막아왔던 것이다.*

선과 악

1

선이란 타(大我)를 먼저 생각하는 것이고
악은 자기(小我)를 먼저 생각하는 것이다.

이타의 궁극에 하늘(우주)이 있고
이기의 궁극에 자기(만)가 있다.

2

자신 또는 상대에게 이[利]가 되면 선이고
자신 또는 상대에게 해[害]가 되면 악이다.

하지만 어떠한 것에 대한 이로움(利)과 해로움(害)은
정해져 있는 것이 아니고 시간과 상황에 따라 변한다.
어떠한 음식이 건강에 도움이 될 때도 있고, 해가 될 때도 있으며
어떤 운동 또한 건강에 도움이 될 때가 있고, 해가 될 때도 있다.

문제는 여기서 생긴다. 그것이 교차하는 순간이 오는 것이다.

어떠한 음식이 건강에 좋게 작용하다가 (적체되어)
어느 순간 유해한 것(병)으로 작용하게 되는 것이다.

행위와 관습, 시대 사회적인 일도 이와 마찬가지다.
자신의 행위가 어느 순간에서는 선이 되지만 어느 순간 다시 악이 될 수 있으며,
자신의 선 자리가 어느 순간에는 선이 되지만 어느 순간 다시 악이 될 수 있다.
적과의 대치 장에서는 적의 심장부를 파고들 특전사가 최고 가치존재로 서겠지만
다시 화합 장에서는 그 존재가치조차 입지를 잃고 말게 되는 것이다.
잔칫날에 우는 것은 옳지 않고 장사하는 날에야 맞는 것이고,
새 술은 새 부대에, 헌 술은 헌 부대에 넣어야 합당한 것이다.

그러므로 새 시대는 새로운 관점과 이해가 필요한 것이다.
이기에 눈을 흐리지 말고, '깨어있어야' 하는 것이다.
새 시대는 모든 생활의 기준과 가치 기준이 뒤바뀌는 때이다.
악(이기)이 임금 되어 이루어진 현금의 질서와 법은 결코 선으로 보장될 수 없다.
새 시대 목자는 새 기준으로 새 질서와 법을 명할 것이기 때문이다.

3

성선(설), 성악(설)은 오랫동안 동양철학이 가져온 주제이다.
인간이 어떠한 특별한 의식의 자각과 발전 없이 오늘에 이른 것이라면

인간의 이기적 특성(동물성)을 근거로 한 순자의 성악설이 맞게 되지만

인간은 '타에 대한 자각'으로 그 정체성을 이루고, '이타' 지향의 '양심'을
그 내면에 지니게 된 것이므로 맹자가 말한 '성선설'이 더 맞는 것이 된다.

하지만 또 인간의 본질이 '선'이라 할지라도 그것은 '자각한 것'으로의 선이지,
그것을 실체적으로 완성해 실체를 이룬 완성으로의 선은 아직 아니므로
인간은 '성선'도 아니고 '성악'도 아닌 중간(과정)적 입장이 되게 되는 것이다.

인류는 태초 '타에 대한 자각'과 '誡命'으로 출발을 이뤘다.
하지만 그것은 '자각(계명 받음)'으로서 이룬 출발인 것이지
동물 본성(이기, 탐욕)을 완전히 청산하고 이룬 출발이 아니었던 것이다.
그래서 인간은 선악의 혼재 속에 투쟁하는 역사를 이어오게 된 것이다.
인간은 성선도 아니고 성악도 아니다(또 성선이기도 하고 성악이기도 하다)
그러므로 인성의 본질은 선과 악 '어느 쪽에 가까운가'가 요점이 된다.

사람 안에는 선(이타)의 마음도 존재하고 악(이기)의 마음도 존재한다.
남성 안에 여성호르몬이, 여성 안에도 남성 호르몬이 존재하듯이
전적으로 '선'만 있는 존재도 없고 완전하게 '악'만 있는 존재도 없다.
지금, 어느 것을 더 크게 나타내느냐에 따라 그 본질이 갈라진다.
마치 하나의 염색체(XY)에 의해 남성과 여성이 나뉘는 것처럼,
선, 악인도 마지막 하나의 경향으로 인해 그 본질이 나뉘게 되는 것이다.
현재 '이타(심)와 이기(심)중 어느 쪽을 우선으로 하고 있는가.'
'어느 것에 더 큰 중력이 작용하고 있는가.'로 본질이 갈라지는 것이다.

혼재하는 내용 중 이기(심)가 1%라도 더 많으면 악(악인)이고,
혼재하는 내용 중 이타(심)가 1%라도 더 많으면 선(선인)이다.

어둠이 시공을 초월해 존재하듯 악은 언제 어디든 존재하고 나타날 수 있다.
善(빛)은 그것을 통제하느냐(물리치느냐) 못하느냐에 달린 것이다.

4

존재의 기질은 유전적인 것(從)이지만 또 환경적(橫-후천적)인 것이다.
강한 기질의 광물이나 동식물도 환경에 의해 한없이 약화 될 수 있고
약한 광물이나 동식물 또한 환경에 의해 얼마든지 강화될 수 있다.

보존력이 약한 것(식품)일지라도 저온(냉장보관)과 고염(소금절임)으로
그 보존력을 크게 강화할 수 있고, 반대로 보존력이 강한 것(식품) 역시
환경(고온, 다습, 무염)으로 그 보존력이 크게 약화 될 수 있는 것이다.

사자는 그 본성으로 볼 때 성악(포악)이지만 환경과 훈련으로 그 본성을
성선(유순함)에 가깝게 이끌 수 있으며, 羊은 그 본성으로 볼 때 극선에
가깝지만 환경과 훈련으로 포악성을 띌 수 있게 되는 것이다.
이러한 내용은 방영되고 있는 TV '동물농장'에서 잘 보여주고 있다.
이처럼 존재는 선천과 후천(환경)의 두 과정에서 본성을 이루게 된다.
현실에의 최선이 존재에게 얼마나 중요한 것인가를 말해주는 대목이다.*

진리(정의)

1

진리(정의)는 곧 이것이다.
“너희는 ‘먼저’ 그 나라와 그 義를 구하라”
진리(정의)는 무엇을 우선할 것인가이다.
정신을 우선할 것인가, 물질을 우선할 것인가?
이기를 우선할 것인가, 이타를 우선할 것인가?

우선해야 할 것을 뒤로하는 것이 거짓이고 악이며,
뒤로 해야 할 것을 우선하는 것이 부정이고 불의이다.
그 뒤에 이어지는 것은 다 추하고 부정한 것이다.

우선해야 할 것을 우선하는 것이 정의이고 선이다.
인생과 있어 가장 중요한 것이 사랑이라 했다.
사랑은 주고받는 것이다.
그럼 사랑은 주는 것이 먼저인가? 받는 것이 먼저인가?

물질의 분석으로 물질의 질서와 법(법칙)을 알게 되듯이,

그리고 그 지식에 의해 모든 발전이 이루어지듯이,
정신계의 일에도 분석이 필요하다.

사랑은 주는 것을 우선으로 한다.
우주 창조(법칙)가 그러하기 때문이다.

신(한 의지)은 자신을 나타내고 싶어서 '창조행위'를 했고
그 피조물이 자신을 알아주고 같이 공감해주길 원했다.
그 때문에 최종적으로 한 인격체(인간)를 만든 것이고,
그 인격체를 위해 모든 것을 준비하셨던 것이다.

현대과학은 이제 우주공간에서 한 사람의 인격체가 나오려면
우주 안의 수천, 수만의 조건들이 다 필요하다는 걸 알게 됐다.
하나의 대상자, 인격체를 위하여 그 모든 조건들을 준비한 것이다.

이것이 사랑의 기원이다.
사랑은 먼저 줘야 하는 것이다.
주고, (상대가 성숙할 때까지) 기다려야 하는 것이다.

2

진리는 내적 세계의 과학이다.
논리에 부합되어야 한다.

진리는 또 자명하고 보편정대普遍正大한 것이다.
인류의 보편 된 가르침에 이어 있어야 한다.
고대로부터 전해오는 가르침을 외면하고 설 수 없다.
먼 곳에서 비쳐오는 빛(별)일수록 길의 지표가 되는 것이고,
고대로부터 전해오는 가르침일수록 삶의 지침이 되는 것이다.

진리는 또 中道의 자리이다.
그것은 이것도 아니고 저것도 아닌 중간의 것이 아니라
이것도 포함하고 저것도 포함한 크로스 오버의 것이다.
상대적 입장을 포함(포용)할 수 없다면 진리가 아니다.

진리는 논리(철학)의 첨단이다.
첨단은 간단과 단순을 향한다.
어렵게 말하지 아니하고, 우회하지 아니한다.
누구나 알기 쉽고, 편히 이용할(실천할) 수 있도록,
간단과 단순의 형태로 나타나는 것이다.✻

때

1

"때가 찼고 그 나라가 가까이 왔다(막1/15)

때란 무엇이고, 또 언제를 말하는 것일까?
우주 안의 뭇 사물의 일은 때를 겸행한다.
시작되고, 진행되고, 절정에 이르며, 결말을 맞는다.
우주 삼라만상이 저마다의 궤도를 그리며 운행하듯이,
사람과 사물의 일도 저마다의 과정에서 궤도를 그리며 진행되고
그 진행 속에서 '어느 한때' 가 오는 것이다.

폭발과 함께한 우주역사는 '한 때'에 지구라는 한 별을 탄생시켰으며
그 지구는 '한 때'에 그 우주를 인식하는 생명체를 탄생시키게 되었다.
그 생명체가 다시 포물선을 그리며 어느 한때를 향해 온 것이다.
최초의 인간이 이전 동물의 마지막 단계였듯이
지금 인류는 또 어떤 '처음'을 향한 '마지막' 단계이다.

처음, 동물의 지경을 넘어선 한 인간이 나오게 되었을 때,

그가 비록 타 동물과 구별되는 한 의식의 소유자였을지라도
그가 딱히 특별하게 다르다고 할만큼의 구분된 존재는 아니었다.
그의 내재된 습성 대부분은 아직 동물의 것과 크게 다르지 않았고,
그의 외견 또한 그 이전동물의 것과 별반 다르지 않았다.
그 무엇도 지금 인간으로의 발전과 변화를 상상할 수 없었다.

인류의 처음, 동물적인 것이 다 소멸되고 전혀 다른 새 존재로 나온 것이 아니라,
단지 기존의 동물과는 구분되는 하나의 새 '경향'을 갖게 된 것뿐이다.
그 '경향'은 미미한 것일지라도 점차 엄청난 격차의 것으로 나타난다.

인간이 처음 갖게 되었던 경향성은 머리를 하늘로 두게 되었다는 것(직립)이나,
그에 따라 손을 더 많이 사용하게 됐다는 것,
따라서 뇌세포가 활성화되고 생각이 많아지게 됐다는 것 등이다.
나머지의 내용은 결코 타 동물과 크게 다르지 않았다.
동물의 습성 99% 새로운 경향 1%, 그것이 인간의 시작이었다.

처음 가졌던 그 새로운 경향성은 점차 인간만의 기질로 차별화되고, 가속화되어,
이젠 외양으로도 타 동물과 현격하게 구별되는 뚜렷한 변화를 하게 된 것이다.
그 인간이 이제 또 한 번의 새 전기의 때를 맞고 있는 것이다.
그것은 사물의 설계도처럼 태초 인간이 시작될 때 그려졌던 그림이기도 하다.

인간의 시작은 '他를 자각함'으로 시작된 것이다.
他에 대한 자각과 함께 동시에 가지게 되는 '利他의 가치'를
그 가슴에 지향하는 것으로 그의 역사를 이뤄온 것이다.

이제 주어졌던 바의 그 뜻을 완전히 이뤄, 이기의 동물지대를 벗어나,
이타의, 신의 아들의 영역으로 가야 하는 때를 맞고 있는 것이다.
우주의식의 결정체로서, 우주의 아들로 서야 하는 때에 있는 것이다.

이것은 알파와 오메가, 처음과 끝을 이루는 것으로서
인간 스스로 신과 같은 모습에 이르는 때인 것이다.

2

물질(몸)의 합산 색은 검정(어둠)을 이루고
빛(정신)의 합산 색은 흰빛(밝음)을 이룬다.

지금의 때는 物質과 肉色의 캄캄한 어둠의 때(물질 만능시대)이고,
뭇 경전에서 '오리라' 예고했던 그 예언의 때이다.
정신(빛)의 님(신랑)이 오는 때이다.*

그날의 의義

1

한 사람의 행동양식이 인류의 보편적 도덕과 관습에 따른 것이면 義가 되고,
그렇지 못한 것이면 不義가 된다.
그러나 이러한 기준이 달라지는 경우가 있다.
바로 말세의 때이다.

일에는 때(시간)가 있고, 상황(장소)이 있어,
어떠한 것이 어느 때에는 옳고, 어느 때에는 그르며
어느 상황에서는 옳고 어느 상황에서는 그른 것이 된다.

비가 봄날의 곡식엔 좋은 영양이 되지만
가을 녘의 곡식엔 해로운 독이 되고,
배설물이 산속 들판에선 고마운 선물이 되지만
도시 복판에선 더러운 오물이 된다.

춘향의 정조貞操가 변 사또의 법 아래에서는 죽을 罪目이지만
이도령의 법도 아래에서는 영원히 기념할 德目이 된다.

불의가 죄가 되지 않고, 의를 취하지 못한 것이 죄가 되는 순간이 있다.
바로 '그날'의 순간이다.

'그날'은 흡사 전쟁 유사시와 같다.
그날에 불의를 행한 죄인(아군)은 용서받을 수 있지만
의(義의 입장)를 취하지 못한 죄인(적군)은 용서받을 수 없게 된다.

이천 년 전 '그 날'에 있어서 십자가의 청년과 함께 있었던 두 죄인은
자신들이 취한 입장에 따라 각각 낙원행과 지옥행을 결정 받았다.
그들이 강도였건, 살인자였건 그 이전의 죄과적 기준은 연계되지 않았다.

이처럼 '그날'에는 일반적 도덕과 관습에 따르는 의[義], 불의는 중요치 않다.
디디고선 발이 어디에 거치한 것이냐가 따라 선악善惡이 갈라진다.

아군이냐! 적군이냐!
빛이냐! 어둠이냐!
정신이냐! 물질이냐!
이타냐! 이기이냐!

그 날에 '좁은 문'으로 가라 했고, '깨어있으라.' 했다.
지금 어느 누가 정신을 붙잡고, 그 불을 켜고 있는가!
이 세대는 모두 물질(이기-큰길)을 따라 어둠(죽음)을 향하고 있다.
옛날 그때(노아)와 같다.

2

그 날의 싸움은 무기의 싸움이다.
승리는 얼마나 더 진보된 무기를 준비했는가에 달려있다.

날고뛰는 무사의 검객술도 어린아이의 (쏜) 총알을 막아낼 수 없고
고도로 훈련된 병사의 사격술도 토마호크 미사일을 대적할 수 없다.
최고의 진보된 무기로 무장하는 자만이 최후의 승자가 되는 것이다.

오늘에 있어 최고의 날 선 무기는 무엇인가?
적의 심장부를 관통시킬 첨단의 무기는 무엇인가?

물질계가 걸어온 발걸음이 첨단무기를 개발해 온 역사라면
정신계가 걸어온 발걸음은 첨단의 논리를 밝혀 온 역사이다.

새천년의 자리에선 논리의 첨단(진리)만이 승리의 관건이다.

그 날에서의 義는 (첨단의) 진리 편에 서는 것이고,
첨단의 진리(무기)로 자신을 무장하는 것이다.✻

3 장

매화 꽃 아래서 그대와 작별하다
일지매의 후예로 겪는 삶의 업보
더 큰 아픔으로 윤회를 완성하다.
사월의 온기가 표피에서 살랑댈 때
대지의 독이 폐부 깊이 침투하다
양손이 포박된 채 방어할 틈도 없이
표독스런 혈액을 주사로 수혈 받다
발열의 시간, 혼미의 계절
나는 오한에 떨며 대지 위에 드러눕는다.
퇴각하는 적군에게 일침 맞은 충무처럼
가나안의 문턱에서 불치를 부여안다

종교 1

1

종교란 풀이하여, '마루 종宗'과 '가르칠 교敎'로
'마루 된 가르침' 또는 '근본 된 가르침'이다.
이제까지 인류는 종교를 통하여 인생(우주)의 근본은 무엇이고
어떻게 살아야 할 것인가의 내용을 가르침 받아 왔다.
그런데 그 가르침의 내용들이 무지와 착각, 또는 이기에 의하여
각각 달리 설명되고 주장되어 많은 종교를 이루게 하였고
결과적으로 많은 혼란과 혼돈을 불러일으키게 되었다.
하지만 '마루'와 '근본'은 여럿일 수 없는 것,
이제 인류는 가르침의 근본이 하나인 것을 깨달아
모두가 通할 수 있는 진리의 자리에 나아가야 한다.

사랑愛, 자비慈悲, 어짐으로 이어지는 각 가르침은 다 같다.
仁은 사람人 둘二이서 같게 되는 인과적 관계, '사랑(이타)'을 말한 것이고,
慈悲는 그 '사랑'이 가장 근본(기본)적으로 나타나는 인간 정서를 말한 것이다.

뭇 종교의 가치로 대변되는 이 세 가치는 모두 동일한, '이타'에 대한 것이다.

2

종교적 진리는 하나의 큰 산과 같다.
끝이 높으므로 다 올라가 보지 못했고,
올라가 보지 못했으므로, 통일된 설명을 하지 못한 것이다.
자신들이 처한 상황에서, 자신들이 보는 면만을 이야기한 것이고
전체(大我)에 이르지 못하고 부분(小我)에 머물게 된 것이다.

백두산은 하나의 산이지만 사면을 아우르고 각각의 모양과 형세를 가지고 있다.
능선은 평상(일상)을 살아가는 현지인에게 국지를 나누는 경계가 되기 십상 이어,
이편(한국)에서는 그곳을 '백두' 라하고 저편(중국)에서는 '장백'이라 한다.
히말라야나 알프스, 안데스는 어떤가?
더 높은 지경으로 더 많은 국경을 이루게 하였으며
수많은 언어와 민족, 사회, 문화의 배경이 되었다.

하지만 산(산맥)은 하나이다.
보이는 이편과 저편의 양상이 다를 뿐이다.
구조와 형태가 다르므로 이름에 대해 달리 부르게 되었던 것이고
오르는 방법(가르침)에 대해서도 달리 설명을 하게 된 것뿐이다.
종교적 진리는 얼마나 큰 산인가?
정상에 오른 이 얼마나 되겠는가?
이제 각 종교는 이기를 버리고 더 높은 자리로 나아가야 한다.
새 시대의 종교는 이제 '終敎'이다.

3

이제까지 모든 종교의 발걸음은 종[從]의 발걸음, 從教였다.
계율에 의해 움직여왔던 것이다.

이제 새 시대 아들에 의해 전해지는 종교는 終教이다.
스스로 양심(속)에 하늘의 소리를 듣고 움직여 따르는 때인 것이다.
이렇게 종에서 아들로 입양되는 것이 새 시대 아버지(하늘)의 뜻이다.

그래서 “건강한 자에게는 의원이 필요 없나니 병든 자에게야 필요하다.”(마태 9/12)
고 했던 人子의 말은 결자해지[結者解之]되어, 다시 이 시대에 전하는 것이다.
“병든 자에게야 의원(종교)이 필요하나니 건강한 자에게 의원은 필요 없다.”

이제, 새 시대에 의원[從教]은 필요 없다.
의사(하늘)도 이 순간을 학수[鶴首]하고 고대해왔다.

마치 환자의 퇴원으로 비로소 자신도 ‘돌팔이 의사’라는 누명을 벗게 되듯이,
신은 인간의 쾌유(구원의 자유)로 이제까지 자신이 가지게 되었던 오랜 오명,
‘무능한 신’이라는 무신자로부터의 오명을 속히 벗어나길 원하셨던 것이다.

이제 새 시대의 종교는 終教이다.
終教는 ‘아들’이 갖는 신앙이다.
이제 인류는 자신 내면의, 스스로 음성을 따라야 한다.

'양심'이 곧 성막이고 법궤이며 신이 임재하시는 '성전'이다.*

"양심 안에 神을 모시어라.
그 안에 악마(이기)를 추방하고, 하늘 아버지를 모시어
영원히 그를 안주安住케 하라."

종교 2

1

종교(신앙)는 사랑과 같다.

눈에 콩깍지가 씌어 지면 남의 말이 들어오지 않고 상대에 빠지게 된다.

그 사랑이 식고 나서야 남들이 했던 수많은 말들이 눈(귀)에 들어온다.

2

교리에 빠지는 건 술(알코올)에 취하는 것과 같다.

한번 취하면 그 못난 교주도 신랑(주님)으로 보인다.

3

종말론에 빠진 것은 설탕물을 먹은 것과 같다.

이후 다른 먹거리들은 어떤 것도 맛이 무미해진다.

4

하나의 신앙을 갖게 된 것은 그 안에 하나의 태양을 갖게 된 것과 같다.

우러러 보이는 그 안의 태양은 하늘에 떠 있는 다른 수많은 별과는

비교조차 허용할 수 없을 만큼 실질적 뜨거움이 있는 빛나는 존재다.

생각이 깨어, 하늘 높이 더 올라 그 궤도 위에서 다시 볼 수 있게 되면

태양은 수많은 별 중 하나이고, 그보다 뜨겁고 찬란하고 큰 별들이
부지기수임을 비로소 알게 된다.

5

종교 이야기는 어느 대학에서 했던 실험조사와 같다.

학생들이 컴퓨터 앞에 앉아 각각 자신들의 정보(생년월일)를 입력해
컴퓨터에서 출력해주는 분석지를 받게 하였고 그 반응을 조사했다.
컴퓨터가 학생들에게 출력해준 내용은 대체로 다음과 같다.

당신은 개성이 뚜렷하고 자존심이 강하며 창의적이다.
강한 듯 보이나 감성적으로 여린 부분이 있어 어려운 사람을 보면
동정심이 생기고 불의 앞에서는 정의감이 발동되곤 한다.
머리가 좋으나 관심 없는 분야는 잘 쳐다보지 않으며
자신을 깊이 알아주는 사람 앞에서는 자신을 내놓고
자신의 능력을 마음껏 발휘하려는 경향이 있다.

조사에 응한 학생들은 대부분 컴퓨터가 분석해준 자신의 성격 분석이
상당히 맞는다고 여겼으며 '전혀 아니다.'라고 생각하는 학생은 없었다.
조사자 개인이 받아 든 각각의 내용은 실은 동일한 것이었다.
컴퓨터가 출력해 준 성격 풀이가 맞는다고 생각하게 된 건
그 내용이 인간의 보편적인 내성을 담고 있었기 때문이다.

종교인들이 자신들의 신앙과 믿음이 옳다고 생각하게 되는 건

그 가르침이 인간의 보편적인 가치들을 말하고 있기 때문이다.

같은 내용의, 같은 가르침인데 자신의 종교가 제일 옳고
자신의 종교만이 구원을 가져다줄 것으로 믿게 되는 것은
그 경전과 가르침의 내용이 90% 이상 옳기 때문이다.
옳은 것(보편적인 가치)을 다루고 가르치는 종교 특성 때문에
사람들은 내 종교는 '다 옳다'는 함정에 빠지는 것이다.
자신들의 종교가 옳은 것을 가르치고 있으며, 그래서 옳으며,
나아가, 모든 것이 옳을 것이라는 착각으로 가게 되는 것이다.
이것이 종교인들이 일반적으로 빠지는 착각과 오류의 현실이다.

다른 사람들이 믿는 종교도 똑같이 옳다는 것을 모르고 있는 종교인들은
컴퓨터가 다른 학생도 똑같은 것을 출력해줬다는 것을 모르는 것과 같다.
컴퓨터가 해준 분석은 맞기도 하고 틀리기도 한 것이지만
그것을 자기만의 것으로 확신하게 되면 '틀리게' 되는 것이다.

종교인들의 심리상태는 이와 같다.
많은 부분이 옳고 맞기 때문에 믿음을 시작하게 되는 것인데,
한번 믿음(확신)을 갖은 후에는 이해 안 가는 부분이나 의아한 부분,
석연치 않은 곳은 잊거나 눈을 감고 가게 되는 것이다.
믿음을 갖기까지 힘든 것처럼, 한번 믿음을 가진 다음에는
약간의 단점(오점)은 너그러이 하고, 분명히 아니 하게 되는 것이다.
문제는 여기서 발생한다.

당신의 믿는 종교는 옳다.
하지만 과연 완벽한가?

6

종교 이야기는 자동차 이야기와 같다.
차의 모든 부품(종교)은 기능(뜻)이 있어서 존재하는 것이다.
오늘의 문제는, 무엇 하나만이 옳고 중요한 것이 아닌데,
자신만이 옳고 맞고 중요하다고 하는 데 있다.

신은 인류를 천국으로 이끌기 위해 하나의 자동차를 만들기로 계획했다.
직원(천사)을 각국 공장장에 보내어 "신이 천국행 자동차를 만들기 위하여 당신을 선택했다"고 전하고, 차 완성에 필요한 부품도면을 차례로 나눠줬다.
도면을 받아든 공장장들은 천국(車) 임무를 선택(부여)받은 자부심에 남달랐다.
일사불란하게 사원(교인)들을 불러 모으고 자신은 사장(신)으로부터 선택받은 계약자(약속된 목자)이며, 이 도면(교리)이 천국 갈 수 있는 '車'라고 열변했다.
각 공장장은 그 도면이 중요하지만 한 부품에 해당한다는 사실은 몰랐다.

아래 부품(기능)의 종교 인용은 임의로 한 것이다.

키(천주교) 공장장이 주장한다.
천국은 키가 있어야 출발 되고 운전으로 가는 것이다.
하늘(예수)이 베드로에게 준 천국 열쇠가 우리에게 있다.

엔진(기독교) 공장장이 주장한다.
천국은 가슴속(신앙) 뜨거움으로 가는 것이다.
뜨거움 없이 어떻게 그 나라를 갈 수 있을까.

바퀴(통일교) 공장장이 주장한다.
천국은 바퀴가 굴러야 가는 것이다.
지상에 밀착돼 구르지 않으면 소용없다.

백미러(증산교) 공장장이 주장한다.
앞뒤를 볼 수 있어야만 그 나라를 갈 수 있다.

연료통(신천지) 공장장이 주장한다.
기름과 등불이 준비돼야 그 나라를 갈 수 있다.

모든 공장장(종교)의 말(주장)은 실은 틀리지 않은 것이다.
차에 3만여 개의 부속이 필요한 것처럼 자체적으로는 다 옳은 말이다.
공장장들은 어디에도 없는 특허와 기술을 하늘로부터 부여받았고
누구도 할 수 없는 진리(원리)와 진실(비밀)을 말하게 된 것이다.
자신만의 기술(도면)과 실력으로 각각의 공장(종교)을 구축한 것이다.

천주교는 첫 출발과 큰 틀을, 기독교는 역동적 진행을,
통일교는 지상에 밀착된 현실을, 증산도는 앞뒤를 보는 비전을
신천지는 마지막 때를 밝히는 기름을 하늘로부터 받은 것이다.

하지만 그것이 다가 아니다. 전체를 다시 돌아볼 수 있어야 한다.
세상에 있는 수많은 종교가 뜻이 있고 존재 이유가 있는 것이다.
모두 천국 자동차의 완성을 위해 필수적 필요로 주문된 것들이다.
신이 설계한 그것이 혹 로켓이라면 수많은 부품이 더 필요하다.
무엇 하나만이 옳고 맞고 중요한 것이 아니라 다 옳고 맞고 중요하다.
하지만 그것이 자기만이 '옳다.' 하면서 틀리게 되고 말게 되는 것이다.

차의 최종 완성은 모든 부품을 하나로 엮는 기술(철학)이 있어야 한다.
그리고 더 나아가 차의 기본 형태를 이루는 단단한 외관(과학)이 필요하다.
각 공장(종교)의 모든 것들이 그 외관(과학)과 맞물려, 맞아 떨어져야 한다.
과학과 맞지 않거나 과학(진화)으로 설명할 수 없으면 아무 소용이 없다.
과학이야말로 하늘이 준 것이다.
아무리 성능 좋은 부품(좋은 진리의 종교)도 전체 구조(세상 이치)와
차체(과학)에 부합되지 않으면 고철 덩어리나 폐기물이 될 수 있다.

세상의 기본 상식과 이치, 과학과 맞는지 돌아봐야 한다.
자기만이 맞고(옳고) 가치 있는 것으로 확신해서는 안 된다.
인간은 눈앞의 뻔한 것을 보면서도 자주 착각하는 동물이다.
지나친 자기 확신은 금하는 것이 좋다.

7

자기밖에 모르는 종교는 동화 속 마녀 이야기와 같다.
마녀는 실은 매우 아름답고 우아한 미모의 소유자이다.
그러한 그녀가 마녀가 되게 되는 것은 자기만이 언제나
세상에서 제일 예쁜 여자이길 욕심으로 주문하면서부터이다.
자신보다 예쁜 미모의 여자가 거울에 비쳐 나타났을 때
같이 인정해주고, 박수로 축하해줄 수는 없는 것일까?
그것은 정말 인류에게 영원히 불가능한 신의 주문일까?
그럴 수 있다면 그녀는 영원히 빛나는 보석이 될 수 있을 것이다.
그렇다면 거울은 다시 그녀를 美의 일인자로 불러줄 것이다.
아름다움으로 화한 내면은 외면을 따라 이루게 된다.

오늘 자신들이 세계 '제일'이라 떠드는 저들.
자신들보다 나은 진리가 거울에 출현했을 때
저들은 오늘 다시 그 마녀를 따라 할 것인가?

8

천국으로 향하는 완성된 자동차는 이것이다.
과학(과학적 사실) +기독교(희생적 사랑) +통일교(지상천국) +신천지(육체영생)+
증산도(역사반본)+등등…….

메시아는 과학의 토대 위에, 그리고 기독의 바탕 위에
지상천국과 육체영생(생명나무)을 실현하기 위해 온다.
과학이 그냥(의미 없이) 만들어져 하늘(천체)과 땅(소립자)을
밝히 알 수 있도록 첨단으로 발전하게 된 게 아니고,
기독교가 그냥(의미 없이) 만들어져 땅끝까지 퍼지고
세계 주도종교로 발전하게 된 게 아니며,
신흥종교가 그냥(의미 없이) 만들어져
이 시대를 소요 속에 머물게 한 게 아니다.
다 뜻이 있는 것이다.
이제 올 때를 위한,
신호이다.

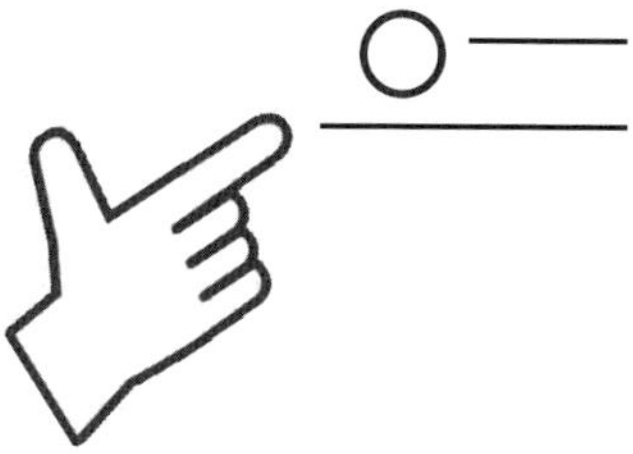

더 큰 전체(보편)
각 교주

신흥종교의 주장과 외침이 다른 것이 아니다.
단지 가리키는 그 손(가르침)의 끝(교주)이 다가 아닐 뿐이다.
그 손끝 너머(뒤)에 더 큰 전체가 있다.

지금까지 있어 온 각 교주
(문선명, 이만희, 안상홍, 강증산, 박태선, 조희성 등등)들은 손의 한끝이다.
그 손끝은 실은 그 너머로 오는 어떤 한 이를 가리키고 있는 것이다.
사람들이 가리키는 손만 보고 그 너머를 보지 못한 것이 문제일 뿐이다.
그 손은 외치는 자의 소리, 평탄케 하는 자의 지시(엘리야)이다.
*히브리어로 참 아버지(참부모)는 엘리야, 예비하는 자를 의미한다.

문선명이 '축복'을 주었지만, 그것은 '조건'이지 '완성(실체)'이 아니며
이만희가 '약속된 실체'일지라도 약속의 궁극, '영생 실체'는 아니며
강증산이 '태을주'를 만들었을지라도 그것이 곧 '만병통치'는 아닌 것이다.
'만병통치(구원)'는 '영생'으로 연결돼 있다.
어느 누가 자신을 따르는 신도들의 병을 고쳐 해결했는가.
어느 누가 태곳적 생 '영생(千歲)'을 찾아 이루었는가.

(신천지처럼) 성서의 비밀과 계시의 내용을 풀었다고,
(증산교처럼) 천지 공사를 짰다고 주가 되는 것이 아니다.
그런 것은 '약속된 목자(사자)'가 하는 일이지 '아들'이 하는 일이 아니다.
'아들(메시아)'은 어느 한 교리를 만들거나 예언을 위해 오는 것이 아니다.

"때가 이르면 다시 비사(比辭)로 너희에게 이르지 않고
아버지에 대한 것을 밝히 이르리라." (요한 16/25)

그는 부분이 아닌, 모든 진리(종교+과학)를 온전하게 하려고 온다.
단지 비유를 풀고 논하고 예언하고 증거하기 위해 오는 것이 아니라
그가 초림 때에 병을 고치는 실질적 구원사역을 행하였던 것처럼
실질적 구원사역(병 고침 → 영생 → 지상천국)을 위해 오는 것이다.
병의 해결 없이 인류를 영생으로 이끌 수 없고 천국을 이룰 수 없다.

천국행 완성차는 과학적 사실 + 희생적 사랑 + 지상의 천국 + 육체의 영생이다.
이 모든 것이 바로 새천년 인류의 과제인 것이기 때문이다.

9

세계 언어학의 메시아라 할 수 있는 강상원 박사에 의해
한글의 훈민정음 해례본에 잘못이 있음이 밝혀졌다
天人地(·ㅣㅡ) 의 三才, 천둥과 번개 우레, 바람 소리는
음의 운용원리로 성립될 수 없다는 것이다.
많은 종교에서 발생되는 오류의 길목이고 지점이다.

많은 종교는 자신들의 완벽 타당성을 주장하기 위해
신(영)적인 특별함을 끌어당기고 교리에 인용하려 한다.
하지만 무엇인가를 끌어당겨 인용하면 할수록
결국에는 자신의 허구와 허점을 더 크게 드러내게 되는 것이다.
있는 것을 솔직하게 말하고, 모르면 모른다 하는 것이 낫다.
'자연'이 항상 더 옳고 바람직한 것이다.

10

위, 신이 설계한 천국행 자동차의 실체는 실은 로켓이다.
수많은 시간과 노력, 비용이 소요되는 일생일대의 사업이다.
그리고 하나라도 틀리면 목적지에 도달할 수 없는 정교한 작업이다.
노력이 불발되지 않도록 세심한 점검과 꼼꼼한 관찰을 거듭해야 한다.
마지막 추진체(메시아)로 연결되는 그 라인에 조금이라도 착오가 있으면

올려진 추진체는 우주먼지로 돌아가고 모든 노력은 허사가 되고 만다.
대충해서는 안 되는, 자꾸 의심하고 거듭 확인해야 하는 이유이다.

북한은 최근 과거로부터 거듭해오던 핵 개발을 완료하고,
로켓 추진체를 하늘 우주공간에 쏘아 올리는 데 성공했다.
이제 남한 차례다.

북한이 실험에서 실패를 거듭했듯이, 남한에서도 같은 실패를 거듭해 왔는데,
통일교 신천지 증산도 영생교 구원파 하나님의 교회…. 등등의 발사체들이다.

북한에서 쏘는 로켓 추진체는 물리적 우주공간을 향한 것이지만
남한에서 쏘는 로켓 추진체는 정신적 우주공간을 향하는 것이고,
북한 것에는 온 인류를 멸망시킬 죽음의 폭약이 장착되는 것이지만
남한 것에는 온 인류를 소생시킬 생명의 묘약이 장착되게 되는 것이다.

지금까지 남한에서 쏘아 올려진 그 추진체는 모두 실패했다.
그럴싸한 과정이었지만 마지막 추진체, 생명나무(메시아-영생)로
연결되는 부분에 착오가 있어 다 문제가 발생 되곤 하였던 것이다.

이제 마지막으로 쏘아 올려질 남한에서의 완성품은 생명으로
세상을 밝히는(이기는) 동방의 등불로 길이 빛날 것이다.

11

천국행 로켓은 흡사 택배와 같다.
정확한 지점에 정확하게 도달되지 않으면 주문된 것을 받을 수 없다.
현대를 사는 이들에게는 내비게이션(과학+인터넷)이 곁에 있지 않은가.
세밀하게 검토하고 확인할 수 있는 과학과 인터넷(정보)이 있지 않은가.
폐쇄적인 어떤 집단(체제)에서는 그것을 경계하며 일절 금하기도 하지만
과학과 인터넷은 하늘이 준 것이지 사탄이 준 것이 아니다.
(만약 사탄이 준 것이라면 자신들은 지구를 떠나서 살아야 할 것이다.)

하늘이 준 그 첨단 장비와 정보로 꼼꼼히, 거듭 확인해 볼 일이다.*

신[神]

1

진리가 논리의 중도(중심)에 있는 것처럼
신은 우주의 중도(중심)에 계신다.

신은 무한 공간(우주)의 중심에 계시지만 개체와 세포의 중심에도 계시고,
소립자와 미립자로 이어지는 무소 공간의 중심에도 계신다.
그는 영원의 시간 속에 거하며 영원의 시간을 운행하고 계시지만
찰나[刹那]의 시간 속에도 거하며 찰나의 시간 또한 운행하시는 것이다.

우주 삼라만상이 법칙에 의해 운행되듯이
신은 원리로서 자기 뜻과 행사를 이끌어 가신다.
우주진화(창조)의 중심에 존재하고 계시는 신은
그 結晶體인 인간의 중심 속에도 거하시게 되는데,
인간의 중심인 '본심(양심)' 속에 머물게 되신다.

그러므로 인간이 마음의 불을 밝혀 자신의 양심을 밝히는 일은
제사와 찬양으로 이어지는 종교적 행사보다 값지고 거룩한 일이다.

악마(이기)의 공격으로부터 양심을 지켜, 자신을 깨끗하게 하는 일이
사랑의 神을 영원히 안식시켜드리고, 기쁨으로 시위侍衛하는 일이다.

양심은 하늘이 그에게 머무는 최후의 거점, 요새要塞이다.

2

신은 개인의 인격신이기도 한 동시에 우주의 자연신이다.

그것은 수백 조개의 세포와 함께하는, 한 개체의 존재원리와 같고,
수만의 백성과 함께하는 한 나라의 국가원리와 같다.

한 개체 속에 존재하는 수백 조개에 이르는 각각의 세포는
각각의 의지와 반응으로 각자의 활동을 영위하는 것이지만
그것은 또한 한 의지 속에 포함되고 한 정신의 통제 아래 존속하며
전체와 교감, 교류하며 존재하는 것이다.

또 각 세포는 전체적 한 의지로 인해 통제되고 교감, 교류되는 것이지만
각 단위는 각자의 정보(믿음)와 기호로서 활동을 이어가는 것이다.

이때 전체적 정신(신)이 각 세포 개체의 요구에 응답(간섭)하지 않는 이유는
신(정신)이 각 세포 개체 앞에 자신을 나타내 보일 수도 없기도 하거니와
엇갈리는 수많은 요구(기도)와 바람(소망)을 들어줄 수 없기 때문이다.

그러면 신에 대한 개체의 신앙과 기도는 아무 의미가 없는 것일까?

신의 행사는 인간사회의 국가(정부)의 업무와 같다.
개개의 뜻과 의견은 하나의 표와 의석(국회)으로 모여,
그 모인(조직) 뜻으로 개체 뜻의 달성 여부가 결정되는 것이다.

人間은 사람과 사람 사이[間], 사회적 존재로서의 인간이다.
역사적 뜻의 달성은 한 개인의 위대한 능력 하나로 이루어지기 힘들다.
한 개체(세포)의 바람과 기도가 정당한 것으로 신(정신) 응답을 받으려면
그것이 강하고도 지속적인 것으로 이루어져, 주변을 감동, 감화시키고,
조직 전체의 바람과 요구내용으로 확산, 승화돼야 성사되는 것이다.

인체 내의 소화를 담당하는 위[胃] 기관과 그 세포를 한 예로 들면,
정신은 胃라는 조직 안의 수많은 세포 중 어느 한 세포(만)의 요구(기도)와
바램을 응답하여 들어줄 수도 없거니와 반대로 어느 한 세포를
악으로 규정, 판정하여 그 하나만을 응징, 처리할 수도 없는 것이다.
단지 세포의 복합체인 胃라는 조직 전체의 요구와 바람이 형성된다면
그 종합된 내용에 의해 상응된 조치를 부여할 수 있는 것이다.

그러므로 존재는 세포 각 단위의 건강하고 바른 가치관이 중요한 요건이 된다.
세포 각 단위 하나하나의 가치관이 표로 모이고 의견으로 형성되어서
胃라고 하는 사회적(조직적) 단위(기관)의 전체 의견으로 수렴, 형성되면,
그 기관의 요구와 바람에 반응하여 신(정신)은 비로소 움직이기 때문이다.

단 것을 좋아하는 세포 세포가 胃 조직을 장악하면
그는 신으로부터 단것을 전달받을 수 있을 것이고,
쓴 것을 좋아하는 세포 세포가 胃 조직을 장악하면
그는 신으로부터 쓴 것을 전달받을 수 있을 것이다.

그러므로 시대의 선지자가 위대한 모습으로 나타난다 하더라도
그가 속한 조직과 사회로부터 그에 부응된 인정을 받지 못한다면
그가 가진 뜻은 이룰 수 없고, 설 자리도 보장 못 받게 되는 것이다.

정신이 세포 하나하나의 욕구(기도)에 일일이 응답하여 반응할 수 없듯이
신은 인간 개개인의 요구와 바람에는 일일이 반응하여 응답할 수 없다.
개인의 욕구가 사회조직의 뜻(표)으로 집산되고 그 뜻이 신과 일치할 때
비로소 개인은 그에 상응된 조치를 응답으로 화답 받을 수 있게 되는 것이다.*

무엇이든지 너희가 땅에서 매면 하늘에서도 매일 것이요.
땅에서 풀면 하늘에서도 풀리리라. (마18/18)

신앙信仰

1

신앙은 영원한 가르침을 진리로 믿고 우러러 따르는 것이다.
그러므로 신앙은 눈앞에 펼쳐지는 현실의 일과 일치하진 않는다.
오히려 신앙은 눈앞의 현실을 딛고 먼 미래를 향해가는 것으로써,
먼 길 여행자가 북극성을 지표 삼아 밤길 산속을 넘어가는 것처럼
언젠가 닿게 될 그 나라를 위하여 험난한 현실 고개를 넘는 것이다.

신은 하늘 위에 '붕' 떠 있는 어떤 존재가 아니라,
이미 창조와 함께 우주의 피조물(자연) 속에 스며있고,
그 피조물 속에 스스로 드러내고 있는 '보편정신'이다.
신앙을 갖는다는 것은 그 보편의 진리를 믿고 따른다는 것이다.
보편적 진리 가운데 보편적 진리는 '자연의 진리'이다.

> 창세로부터 그의 보이지 아니하는 것들 곧 그의 영원하신 능력과 신성이
> 그 만드신 만물에 분명히 보여 알게 되나니 저희가 핑계치 못할지니라. (로1:20)

하늘은 자연적 원리에 따른 신앙만을 자신의 것으로 취하시고 상대하신다.

선로 위의 기차와 같이, 자연원리로서만 자신을 움직여 행사하시는 것이다.
그러므로 자연(과학)을 배우는 것은 신앙의 기초가 된다.
봄이 가고 여름이 가면 가을과 겨울이 온다는 것,
시작과 전개가 있으면 절정과 결말이 있다는 것,
功을 들이면 果가 있고, 꿈(믿음)은 이루어진다는 것,
질서와 변화 안에서 생성과 소멸을 반복하는 존재
그 안에서 자신 행사에 '영원성'을 구하는 것이다.

연금술(연금의 과정)은 자연원리의 신앙적 집약이다.
영원성을 부여잡고 현실의 시련 고개를 통과하는 것이다.

2

"네 믿음대로 되리라"는 말은 진리이고 과학이다.
어떤 믿음이든 그 믿는 바대로 이루게 될 것이다.

무신론자가 가진 믿음은 그 믿음대로 이루어질 것이고
유신론자가 가진 믿음 또한 그 믿음대로 이루어질 것이다.
죽음에 맞닥뜨려, 무신론자는 자신의 관념대로 '하나의 끝'을 볼 것이고
유신론자는 자신의 관념대로 '하나의 심판'을 볼 것이다.

(인간) 관계에 믿음이 있는 자는 남도 친구(식구)로 보이게 될 것이고,
관계에 믿음이 없는 자는 식구(친구)도 남으로 보이게 될 것이다.

色情(믿음)이 있는 자는 그루터기에서도 여신女身이 보일 것이고
色情이 없는 자는 미인에게서도 여신女身을 못 보게 될 것이다.

두더지는 자신의 믿음과 기호대로 땅속으로 들어간 것이고
애벌레(나비)는 자신의 믿음과 기호대로 하늘로 올라간 것이다.
각 식물은 저마다 자신의 믿음과 기호嗜好로 각자의 필요 요소와
성분을 땅에서 원소로 취하여 자신의 실체를 이루게 된 것이다.
우주 안의 모든 것은 자신이 가진 믿음과 기호를 따른 결과이다.
두더지가 땅속에서 바라보고 믿는 세상은 그것대로 진리이고
나비가 공중에서 바라보고 믿는 세상 또한 그것대로 진리이다.

각자의 위치에서 다 옳고 맞는 것이고,
달리 어느 것이 '옳다' '틀리다.'고 할 수 없는 것이다.
혹, '아니고, 틀리다.' 하더라도 하루아침에 그 습성을 바꿀 순 없다.
단, 각 위치에서 더 넓게, 깊게 보려는 이해는 존재의 지침이 될 것이다.

한 사람이 가진 믿음과 행동은 누적되고 축적되어 한 결실에 이른다.
자신의 믿음에 따라 진화하여 '그날'에서의 결실을 이루게 되는 것이다.
신앙의 종착점은 그 가르침이 얼마나 양심 가까운 곳에 있는 것이냐 이다.
어떠한 신앙이라도 그것이 양심에 비추어 가까이에 있는 것이 아니라면
그것은 선이 될 수 없고 그에 연루된 선의 결실 또한 얻을 수 없다.

여행자가 먼 북극성을 지표 삼아 발걸음 옮기는 것처럼
신앙자는 깊은 양심을 지표 삼아 발걸음을 옮겨야 한다.*

윤회

1

윤회는 우주의 구성 원리이고, 존재의 존재원리이다.

하나의 물방울이 모여 내[川]를 이루고
내[川]가 모여 강을 이루고
강은 흘러 바다를 이루고
바다는 흩어져 구름을 만들고
구름은 다시 하나의 물방울이 된다.

하나의 땅방울(행성)이 모여 태양계를 이루고
태양계가 모여 은하를 이루고
은하는 흘러 우주를 이루고
우주는 흩어져 먼지 구름(성운)을 만들고
먼지 구름은 다시 하나의 땅방울을 만든다.

이처럼 한 인간이 있다.

하나의 인간이 모여 가족을 이루고
가족은 모여 민족을 이루고
민족은 모여 국가를 이루고
국가는 모여 세계인류를 이룬다.
인류는 흩어져 시대 영혼 한 방울을 다시 만든다.

하나의 물방울이 수많은 수증기의 합산 체이듯,
하나의 땅방울이 수많은 우주먼지의 합산 체이듯,
하나의 인간은 수많은 시대 영혼의 합산 체이다.

이 과정은 모두 윤회와 같은 형식을 띤 것이지만
똑같은 형태로 반복만 계속하는 윤회가 아니라.
어딘가를 향하며 변화하고 진화되는 윤회이다.

기독교의 우주관이 창조(관)에 머물러 있고,
불교의 윤회관이 반복에 머물러 있던 것은,
변화하는 생명의 끝에 신이 있어, 윤회의 반복 속에서 어느 순간
'진화의 형식을 띤 창조'를 이룬다는 사실을 몰랐기 때문이다.

고대인도와 동양에 태곳적부터 있어 온 윤회론은
기독교의 재림론을 이해함으로 진의를 알 수 있다.

윤회론과 재림론은 보는 관점에 의해 달리 표현된 "한 그림"이다.
이쪽에서 '간다.' 하면, 저쪽에선 '온다'고 하는 것과 같은 것이다.

이러한 사실을 모르기 때문에 오늘날까지 정작 윤회를 말하고 있는 불교에서도 환생이 어떻게 이루어지는지, 그리고 어떻게 전개되는지 모르고 있었던 것이다.

인간이, 죄가罪價에 따라 동물로 태어나는 것은 절대 가능하지 않다.

2

보이는 것(육체)을 관점으로 하여 표현하면 불교의 '환생'이고
보이지 않는 것(영혼)을 관점으로 하면 기독교의 '재림'이 된다.
환생도 재림도 결국 윤회의 한 그림이고, 다른 표현인 것이다.

꽃은 꽃으로 윤회하고, 벌레는 벌레로 윤회한다.
늑대는 늑대로 윤회하고. 뱀은 뱀으로 윤회한다.
그리고 인간은 인간으로 윤회한다.

인간은 우주의 모든 내용이 들어있는 우주의 축소체로,
그 안에 꽃과 같은 요소, 뱀과 같은 요소 늑대 같은 요소 등
우주 안의 모든 특징적 요소들이 두루 나타나 있다.

그중에서 각각의 성향에 따라 한 특징적 요소들을 더 갖추게 되는데
윤회론은 그 두드러져 나타난 특징을 비유적으로 설명하게 된 것이다.

그래서 "죄를 지으면 호랑이가 된다."하는 단면의 말은

호랑이 성격의 사람이 죄를 짓고(성격을 극복 못 하고) 죽으면,
다시 호랑이(그런 성향의 사람)로 윤회함을 말하는 것이다.

하나의 존재가 자신의 단점을 극복하지 못하면(진화하지 못하면)
다시 이전의 모습을 반복하게 되는 것이다.

주정뱅이가 죄를 지어(단점을 극복하지 못하고) 죽으면
다시 술주정뱅이로 환생할 것이고,
바람둥이가 죄를 지어(단점을 극복하지 못하고) 죽으면
다시 바람둥이로 환생할 것이다.

인과응보因果應報, 사필귀정事必歸正인 것이다.

3

윤회에는 주기(시간)가 있다.
하루의 주기가 있고, 年의 주기가 있고, 시대의 주기가 있다.
그것은 지구가 자전하고 태양을 돌며, 태양은 은하를 돌고,
은하는 더 큰 우주를 놓고 운행하는 것과 맥을 같이 한다.
그렇게 존재(생명)의 주기가 있다.

조직(세포)과 규모와 구조가 작고 단순한 것일수록 윤회의 주기가 짧고
규모와 구조가 크고 복잡하면 윤회의 주기 또한 상대적으로 길어진다.

하루살이나 미생물, 벌레의 윤회주기는 아주 짧을 것이고,
개나 고양이, 침팬지 등의 윤회주기는 상대적으로 길 것이다.

죽음을 두고 고통을 표출하는 정도는 윤회주기와 관련돼 있을 것이다.
높이 올려 진(진화된) 탑(생명)일수록 해체 때의 소요가 큰 것처럼,
주기가 클수록 그 소요의 파문(고통) 또한 크게 갖게 되는 것이다.

그리하여 인간은 다른 동물보다 상대적으로 긴 윤회주기를 가진다.

인간 중에서도 단순한 성격의 (평범한) 사람은 윤회주기가 짧고
복잡한 성격의 사람은 상대적으로 긴 윤회주기를 가지게 된다.

4

환생과 재림이 과거의 영혼이 다시 돌아오는 것이지만
그것이 과거와 똑같은 모습으로의 재생은 아니다.

우주에 똑같은 시간이 있지 않은 것처럼 생명에도 똑같은 존재란 없다
지금의 자신조차도 어제의 자신이 아닌, 어제와 다른 새 존재인 것이다.

어제 갖던 기호나 취미 등 그 성향이 변했을 수 있으며
(이것은 어쩌면 하루 만에도 180도 다르게 변모할 수 있다)
내적 성향(만)이 아닌 외적 형태조차 다르게 변모했을 수 있다.

하물며 시대와 세대를 지나 환경과 조건이 모두 다른 배경을 통과하는데
그 영혼이 어떻게 똑같은 모습으로 똑같은 재생을 할 수 있단 말인가.
그 같은 재생은 있지도 않으며, 할 수도 없는 것이다.

환경 하나로, 같이 태어난 쌍둥이도 모습이 달라지는 것 아닌가.
예수(재림)는 똑같은 모습(외모)으로 환생하여 오는 것이 아니다.
그는 같은 감성, 같은 생각 구조, 같은 내적 성향을 가지고
같은 시대적 상황에서, 그와 같은 사명을 갖고 오는 것이다.

이처럼 환생(재림)은 그 사람이 가진 내적 성향을 딴 것이다.

5

매미는 여름 한 철의 울음을 위해 7년여의 땅속 애벌레의 시간을 보낸다.

하루살이는 얼마만큼의 시간을 통해서 환생을 이루고 다시 하루를 살까?
우주먼지로 돌아간 별의 환생은 언제 다시 이루어질 수 있을까?
인생은 환생을 위해 얼마의 시간이 있어야 하는 것일까?

산자(생명)로 그것을 기다리는 것은 꿈같이 아득한 일이 되겠지만
사후에는 어떤 의식도 관념도 있지 않을 것이므로
기다림이나 시간 같은 것들은 의미가 없을 것이다.

그러므로 삶에서 죽음을 두려워하는 일은 불필요한 일이 된다.
어제보다 나은 걸음에 족하고, 그렇게 노력하고 실천하면 될 일이다

지금까지 종교는 영원(구원)에 대한 믿음으로 온갖 실천방법을 말해 왔다.
하지만 재림과 윤회가 분명한 것이라면 그 모든 방법의 설명은 필요 없다.
선, 오직 '선'하나라면 충분한 것이다.

복잡하고 혼잡한 실천방법은 실행의 혼돈과 추진의 약화를 가져온다.

선 하나면 다음 생애에서 더 나은 조건으로 나아갈 수 있다는 것,
설사 이생에서의 발전이 요원하고 멀어 혹 불가능하다 할지라도
지금 선을 놓지 않으면 다음번엔 더 나은 생이 기다리고 있다는 것,
그 하나만으로 종교적 신앙의 실천적 삶을 지속할 수 있을 것이다.

善者에게, 윤회가 있다는 것보다 더 큰 축복은 없다.
'선하게 살면 복(보답)을 받는다, 다음 생 또는
다다음 생에 반드시 보답을 받게 된다'는 것보다
더 큰 축복의 말이 어디 있단 말인가?
오늘 한 냥의 돈을 적립하면 더 나은 내일의 살림이
보장으로 기다리고 있다는, 아주 쉬운 삶의 비전이 아닌가!

역사의 의인들이 고통을 달게 받으며 간 이유가 여기에 있다.
사라져 간 발걸음 속에는 이 같은 신의 비밀이 같이하고 있었던 것이다.*

영혼과 사후세계

1

영혼이 어디 있는가.
영혼은 바로 지금 살아 숨 쉬고 느끼고 활동하는 자신 안에 있다.

자신이야말로 이미 수많은 영혼이 결합하고 합성된 산 영혼이다.
수많은 국민이 함께하지만 하나의 정권에 의해 다스려지는 한 국가처럼
인간은 수많은 영혼이 공존하지만 한 영혼에 의해 다스려지는 인격체이다.

자신의 마음은 과거의 모든 영혼이 지나치고 넘나드는 집이다.
지금 자신이 어떤 마음을 갖고, 어떤 상태를 이루느냐에 따라
각기 다른 영혼들이 손客으로 찾아와 머물게 되는 것이다.
도박에 빠지면 도박의 영혼들이, 폭력에 빠지면 폭력의 영혼들이,
그리고 책에 빠지면 독서의 영혼들이 찾아와 머물게 되는 것이다.

말세의 때는 과거에 살았던 모든 영혼들이 결실로서 다시 재림하는 때이다.
노아 때에 살았던 영혼, 롯(소돔) 때에 살았던 영혼, 예수 때에 살았던 영혼.
그 모든 영혼들이 환생, 부활하여 그와 같은 방식으로 물질의 극을 이루고

현실에 영혼을 내맡긴 채 순간적 가치를 따라 대로로 몰려가게 되는 것이다.
오직 하나, 노아와 롯, 예수만이 현실에 영혼을 맡기지 않은 채 거슬러 올라
언덕 위 높은 곳(정신, 하늘)에 집(방주)을 짓고 영원을 향하는 것이다.

자신이, 과거의 영혼들이 갔던 영혼의 굴레를 넘어, 자유하는 인간이 되려면
과거의 영혼들이 가졌던 습성과 한계를 알고, 그 경계(선)를 넘어서야 한다.
정신의 가치를 부여잡고 현실이 주장하는 '물질과 색'의 대기를 넘어야 한다.
순간의 가치를 넘어, 영원 가치로 자신을 무장해야 한다.

2

영혼이 죽어서 가는 사후세계는 이 땅이다.

사멸함이 없는 영혼이 다시 어딘가에 머물러야 한다고 한다면
그곳은 그가 자유로이 느끼며 활동하던 이 땅이 아닐 수 없다.

하나의 영혼이 수많은 생명진화의 결정체이듯,
지구星 또한 수많은 행성진화의 결정체이다.
금(연금)은 우주 어디에서도 찾아볼 수 없는 지구만의 물질이다.
지구는 인간영혼과 일치하는 동일코드의 별이다.

인간이 지구를 아름답게 가꾸는 일은 자신 후대의 집을 가꾸는 일이다
가시고기가 자식을 위해 생명을 버리듯 미래에 살 살림을 위한 것이다.

이기로 마련하는 살림들은 영원의 집에 들여질 수 있는 살림들이 아니다.
다음 거처에서는 필요하지 않은 군더더기 짐들이고
수고와 노력으로 다시 처리해야 할 폐기물들이다.
이타와 선으로 쌓는 살림들만이 영원으로 이어질 영원의 재산이다.✻

구원

1

오늘날까지 각 종교는 막연한 구원을, 갖가지로 말해왔다.
하지만 진정한 의미에서의 구원이란 과연 무엇일까?
나름대로 구원(관)을 저마다 들 수 있겠지만 압축하여,
'죽게 되었던 사람이 다시 살게 된 것'이라 할 것이다.

더 구체적으로 말하면,
'병들어 죽게 되었던 사람이, 병이 나아 건강을 회복하게 된 것'이다.
그래서 이천 년 전의 한 구원자도 "나는 병자를 부르러(고치러) 왔다." 하고,
병자를 고치는 일을 주 사역으로 하여, 행함을 직접 보여주었던 것이다.

인간이 태곳적부터 종교를 통해 '구원'을 말하게 되었던 것은
자신이 불치병에 걸린 환자와 같은 입장이란 걸 알았기 때문이다.
존재는 스스로 자신이 갖게 된 결함을 인지하게 되는 것이다.
그래서 인류는 그것을 언어(문자)로 기록하고 남기었던 것이다.
祈禱는 인간이 수명(영생-千歲)을 기원해야 함을 말하고 있다.

그럼 인간은 어디가 어떻게 그리고 왜 병들게 된 것일까?
병에 대해 알려면 먼저 건강이 무엇인지 알아야 한다.

건강이란 무엇인가?
건강이란 하나의 개체가 '조화와 균형을 이룬 상태'인 것이다.
따라서 병이란, 하나의 개체가 "조화와 균형을 잃게 된 것"이다.
이때의 건강 또는 병이란 몸과 마음, 영과 육, 양자를 말하는 것으로,
어느 한쪽을 주[主]로 하거나 비중 두어 하는 말이 아니다.
완전하게 건강한 육체의 소유자라면 영혼 또한 완전하게 건강한 것이고,
완전한 영혼의 건강을 이룬 자라면 육체 역시 완전한 건강함에 이른다.
육체의 건강과 영혼의 건강은 서로 오차 없이 일치하여
절대적 관계 속에서 합치하고 상호작용 조율로 나타나는 것이다.

단, 여기에서의 건강은, 아직 젊어서 갖는 청춘의 건강과
몸에 이상이 생겨서 갖는 신체 부자유의 건강을, 건강으로 말하지 않는다.
여기서 건강은 세월에 의해 변하지 않는 연금으로의 건강을 말한다.

2

인간의 몸은 세월 속에서 기울어져 간다.
그것은 모든 동, 식물의 세계도 그러하며, 광물의 세계 역시 그러하다.
기울어가지 않는 존재란 없다.
하지만 연금된 존재는 다르다.

일반적 존재와는 달리 영원성을 나타내 보이는 것이다.

인간은 동물 지경을 넘어 신의 영원성(영원한 가치)을 추구하고,
이기(小我)를 넘어 이타(大我)를 생각하게 되었다.
태초의 인간이 이기를 버리고 이타를 이뤘다면(이기로 기울지 않았다면)
그는 균형을 이루는 생명나무가 돼서 영생(불로장생)의 길을 갔을 것이다.

하지만 이기(原罪)로, '균형(생명나무)으로 가는 길'을 잃어버림으로,
태초에 가졌던 '천 년(영생)의 생'이 '백 년'으로 한정하게 된 것이다.
이기로 눈(慧眼)이 흐려져 불균형의 길을 가게 된 것이다.

이기로 인해 가지게 된 불균형은 죽음으로 이르게 하는 병이 되었고
그 후부터 인류는 병원(종교)을 세워 구원을 말하게 된 것이며,
구원의 길이 바로 '利他' 곧, '利己 버림'에 있음을 설명하게 된 것이다.

연금술의 목적은 시간의 흐름 속에서 변질되고 마는 물질(금속)을,
연단을 통하여 영원히 변질되지 않는 빛의 황금물질로 만드는 것이다.
그것은 다시, 세월 속에서 변질되고 마는 생로병사의 허무한 인생을
영원히 변치 않는 불로장생의 충만한 생으로 이어지게 하는 것이다.

이것은 종교적 목적의 '구원'과 같은 것이다.
죄(이기의 불순물) 때문에 생로병사하게 된 허무한 인생을
변치 않는 불로장생의 충만한 생으로 되돌리는 일은
연금술의 궁극 목적이고 종교의 궁극 목적도 되는 것이다.

구원은 영혼과 육체의 조화로, 심신일체의 건강에 이르도록 하는 일이다.
이것은 기존의 종교가 갖던 구원관과 전혀 다르다고 생각될지도 모른다.
하지만 이전에 가져왔던 구원에 대한 막연한 추상(성)을 버리고
구체적인 인간의 현실에 눈을 돌리게 된다면 답은 자명한 것이다.

"때가 이르면 다시 비사(比辭)로 너희에게 이르지 않고
아버지에 대한 것을 밝히 이르리라. (요한 16/25)

새천년의 메시아는 더는 보이지 않는 구원, 죽은 구원을 말하지 않는다.
누구나 밝히 보고 알 수 있는, 살아있는 현실의 구체적 구원을 말할 것이다
새천년의 구체적 현실 속에서 생명(長生)보다 필요한 것은 없다.
아무것도 모르는 막연함 속에서 모든 걸 아는 듯이 살아가는 사람들을 향해
일찍이 한 선각자는 외쳤다! "(모르고 있는) 너 자신을 알라!"

다시 생각해보자 구원이란 무엇인가?
구원은 곧 웰빙이다!

3

모든 종교의 궁극은 구원이고, 구원은 영생이며, 영생은 곧 건강이다.
이렇듯 구원이 곧 영원 건강인데 건강을 구체적으로 말하는 종교는 없다.
영생이 곧 건강의 문제인데도 몸이 어떠해야 하는지는 말이 없는 것이다.
믿음? 말씀? 태을주 주문? 기도?

영생은 믿음이나 기도, 말씀과 주문 등으로 '뚝딱' 이루는 것이 아니다.
그 이루는 방법을 알아야 하고 또 구체적으로 설명할 수 있어야 한다.
그리고 그 진짜의 증거를 빛나는 젊음으로 보여줄 수 있어야 한다.

결과(영생)를 이루려면 중간(과정)이 있어야 한다.
병이 없어야(해결돼야) 하고, 노화가 없어야 한다.

조희성이나 이만희, 또는 강증산처럼 본인은 아프고 늙어(죽어)가면서
구원이 '뚝딱'하고 이루어지는 것처럼 영생을 말해선 안 되는 것이다.
믿음이나 기도, 말씀과 주문 등으로 영생의 길을 보(알)게 될 수는 있다
하지만 그 구체적 실현은 과학적 방법과 상식적 내용으로 되는 것이지,
영적이고 내적인, 뜬구름 잡는 방법과 내용으로는 이룰 수 없는 것이다.

성경에서 "보라 여기 있다 저기 있다 하여도 가지 말라(눅 17/23)"함은
믿음이나 기도, 말씀과 주문 등으로 '병을 고치는 기적이 있다'는 등의
비과학, 비상식적 내용과 행위에 귀 기울이거나 혹하지 말라는 말이다.

4

"영생(구원)을 얻었습니까?"하고 떠드는 자들이 있다.
하지만 영생(구원)은 얻는 것이 아니고 사는 것이다.
그 사는 방법을 체득, 실천, 실현해가는 것이고
시간(삶)으로 그 실제를 증명해가는 일이다.

영생(구원)을 얻었습니까? 하고 떠드는 이들은
富(부자)가 '로또'처럼 단번에 주워지는 것으로 믿는 자들이고
창조가 개벽처럼 하루아침에 이루어진 것으로 믿는 자들이다.

하지만 富(부자)는 하루아침에 이루어지는 것이 아닌
하나하나 하루하루 습성과 습관으로 이루어지는 것이고
(습성과 습관으로 이루지 않은 부는 금방 끝이 난다. 오래가지 않는다)
창조 또한 그처럼 하루아침에 이루어진 것이 아닌,
하루하루 습관과 습성(오랜 진화)으로 이루어지는 것이다.
창조는 끝나지 않았고, 아직도 수십, 수백 종(별, 생물)이
매일 생성(소멸)을 이뤄가고 있다.

富가 습성으로, 창조가 진화로, 서서히 이루어지는 것이듯,
영생과 구원(건강)은 서서히 천천히 매일 이뤄가는 것이다.*

심판

1

지금은 노아 때와 같다.
결실의 한 때이고, 심판의 때이다.
이제 신은 과거(노아 때)와 같은 방법으로 인류를 심판하지 않으신다.

참다운 부모로서의 신은, 자녀가 어렸을 적엔 매(홍수)로서 다스려 보기도 하지만
자녀가 성장한 후엔 그러한 방법이 결코 진정한 변화로 이끌 수 없다는 걸
잘 아시므로 그와 같은 방법의 심판은 다신 하지 않기로 약속했던 것이다.(창 9/11)
하지만 그와 똑같은 방법의, 다른 심판이 있다.

상대에게 벌[罰]을 주는 것으로의 타율적인 심판도 있지만
상대에게 복[福]을 주지 않는 것으로의 자율적인 심판도 있다.
사악하고 못된 백성을 처단하여 벌을 주는 조치를 하는 것도 심판이지만
死地를 기를 쓰고 향해가는 악인을 그냥 놔두는 것도 역시 심판인 것이다.

전자가 어릴 때(구약시대)에 신이 택한 심판방법이었다면
후자는 성인이 된 21C 인류를 놓고 택한 신의 심판방법이다.

전자는 아직 신의 사랑이 연장된 뜨거운 감정의 심판이지만
후자는 신의 냉정함만이 남겨진 차가운 이성의 심판이다.
그러므로 후자는 더 냉혹하고 무서운 심판이다.

신은 오늘날 인류에게 에덴동산과 같은 풍족한 환경을 허락해주셨으며
마지막, 생명나무(불로장생)의 선물을 '아리랑 언덕' 아래 숨겨놓으셨다.
이 선물은 '좁을 길을 향하라' '깨어 있어라'의 명命을
따르고 실천한 이들을 위해 준비해 놓으신 것이다.

인류가 새천년의 봄을 맞으며 풍요와 함께, 千歲(영생)를 앞두고 있는데,
이기적 인간들의 눈을 가림으로써(스스로 흐려짐으로)
'천 년의 생'을 '백 년'으로 한정하는 것이, 심판인가? 심판 아닌가!

2

"하나님이 세상을 이처럼 사랑하사 독생자(구세주)를 주셨으니
이는 저를 믿는 자마다 멸망치 않고 영생을 얻게 하려 하심이라.
하나님이 그 아들을 세상에 보내시는 것은 세상을 심판하려 하심이 아니요,
세상이 구원을 받게 하려 하심이라." (요한 3/17)

메시아는 세상에 대해 '심판'이 아닌, '구원'의 사역을 행하신다.
하늘은 이제 불의의 존재로 인하여 자신의 거룩한 옷자락(명예)에
죄악의 검은 피가 얼룩으로 남는 일을 애써 행하실 필요가 없다.

그러므로 이제 전개될 새천년의 인류심판은
신으로부터 내려지는 것으로의 '멸망심판'이 아니라
스스로 구원받지 못하는 것으로의 '자격심판'이 되는 것이다.

신부 될 자격이 있느냐?
깨어 있느냐? 정신의 등불을 켜고 있느냐?
물질의 캄캄한 밤에 정신의 신랑이 왔다!
전개될 '천 년의 생' 앞에서 백 년도 못 되는 지금의 인생은 심판이다.

3

'The Saddest Thing'을 불렀던 가수 멜라니 사프카Melanie Safka가
"지금까지 살다 보니 인생에서 가장 슬픈 일이 무엇이더냐?"는 질문에,
"생이 영원하지 않고 어쩔 수 없이 변해가는 것이 가장 슬프다." 했다.
인생의 어렸을 적엔 몇백 년이나 지나야 50(세)이 되는지 알았는데,
50이 되고 보니 생이 너무나도 짧다는 생각과 함께,
'이제 얼마 남지 않았구나' 하는 생각에 불안감을 떨칠 수 없다는 것이다.

그렇다! 오늘날의 인생은 외면으로는 놀라울 만큼 위대해진 듯하지만
그 질적인 내용으로 놓고 보면 다른 존재보다 별로 나은 점이 없다.
그야말로 위대한 만큼의 허무한 인간(인생)의 초상이 아니런가?
인간의 삶이 공간적(세계적)으로, 업무적으로 확대됐다면
시간적으로도 그에 비하도록 확대돼야 맞지 않겠는가?

이에 신은 그에 관한 준비를 해놓지 않았겠는가?
황야(광야)의 깊숙한 곳에 놓여진(숨겨진) 황금처럼,
생의 광야(선의 길)를 묵묵히 걷는 이들을 위하여
깊숙한 곳에 자신의 연금 선물을 놓아두지 않았을까?

21C 심판은, 영생의 땅 가나안을 멀리 비스가산 상봉에서
단지 바라(만)보는 것으로 마감하는, 이 세대의 발걸음이다.

4

21C 심판에도 방주가 마련돼 있다.
단지 오늘날 신으로부터 주어진 방주는 자연(산)의 꼭대기가 아니라
지성(정신)의 꼭대기에 마련된 것이고, 물 홍수로부터의 방주가 아니라
시간 홍수(세월)로부터의 자유로움을 받는 '생명의 방주'라는 것이다.

할 일 많고 바쁜 현대인에게 '생명의 연금술'은 '21C 방주'이다.
유수 같은 시간의 '세월 홍수'에 휩쓸려 잠기지 않을 기술이고 기법이다.
생활반경이 넓어지고, 풍요와 정보가 가득한, 할(누릴) 것 많은 21C 현실에서
세월로부터 잠기지 않을 '생명 방주'는 신이 준비한 축복의 선물이 아닐 수 없다.
하늘은 유대의 아라랏산 정상에서와 같이, 오늘 아리랑 민족의 고개 위에도
심판으로부터 피신할 수 있는 하늘 방주를 준비해 놓으신 것이다.
하지만 이 역시 일상을 살아가는 현실의 사람들에게는 믿기지 않을 일이다.
그래서 그때와 같이, 유수 같은 세월 홍수가 목에 차오를 때까지, 모두 외면한 채,

그저 돈(물질)을 좇고 순간을 탐하며 일상을 보내게 되는 것이다.
우주 절기로 가을날인 이날은 저마다 자기 본성을 드러낸다.
날이 저물매 뭇 생명들이 자기 처소와 자리를 찾아가는 것처럼
가을이 깊어지매 사람들은 자기 열매와 씨로 그 본성을 드러낸다.
이날은 결실된 그 열매들을 곳간으로 거둬들이는 추수 날이다.
하늘 농부는 각각의 과실과 곡식들을 그 종류대로 거둬들인다.
이날에 하늘이 자기 곳간으로 거둘 과실은 선으로 익은 단맛, '善果'이다.

그가 부를 이뤘건 못 이뤘건, 유머를 갖췄건 못 갖췄건,
하물며 성실 근면의 삶을 이뤘건 못 이뤘건 상관없다.
이타에 대한 자각”으로 탐스럽게 익은 선의 영혼이 아니면
하늘이 준비한 영원의 천국 곳간에 들여질 수 없다.

연금은 자기磁氣를 완전히 버림으로 이루어진다.
생명연금 역시 자기(利己)를 버림으로 이루어진다.
자기(利己)의 맨 끝에 바로 돈(물질)과 色이 있다.
현실을 이루는 그 모든 것을 등지고 아리랑고개를 넘는 것이
홍수 심판의 때를 살게 된 오늘 인류의 과제인 것이다.

5

인류에게 종말이 있었듯 동물 세계에도 종말(심판)이 있었다.
인간이 땅의 주인, 또는 주인처럼 등장한 날이다.

인간의 등장으로 지상의 모든 것은 천지개벽이 되었다.
모든 것이 변하고 뒤바뀌게 되었다.
강하거나(사납거나) 큰 것은 밖으로 쫓기거나 우리에 갇혔고
약하고 작은 것은 보호되고 생활(환경) 속에 공존 됐다.

인간세계의 종말도 이와 같다.
그러므로 종말은 하루아침에 이루어지는 것은 아니다.
인간이 하루아침에 인간(실력자)이 된 것이 아니라 서서히 된 것처럼,
종말은 하루아침에 일어나는 것이 아니라 서서히 이루어지는 것이다.

새로운 인간이 출현하는 날, 인간 중의 인간, 인자가 승리자가 되는 날
세상은 모든 것이 변하고 뒤바뀌게 될 것이다.
이기로 강하고 커진 존재들은 쫓기거나 통제될 것이고
약하고 작은 존재들은 보호되고 생활 속에 공존 될 것이다.
그날이 서서히, 하지만 속히 이루어질 것이다.

생명의 세계에서 모든 것은 생명으로 귀결된다.
내가 아무리 잘나도 내가 아무리 옳아도 생명을 넘어설 수 없다.
악함으로 모든 것을 얻었든, 선함으로 모든 것을 잃었든, 아직 끝은 아니다.
'생명'이 마지막 모든 것을 결정되게 할 것이다.

오늘 붙잡은 것이 영원한 것(방주)이 아니라면,
그 잡은 것은 잠기고 쓸리고 흩어지게 될 것이다.
헛되고, 헛되고, 헛된 것이 될 것이다.✻

재림再臨

1

“구름을 타고 오시리라” (계시록1/7)

구름을 ‘영靈’으로 해석한 이가 있다.
주님이 육신 아닌 영으로 온다는 것인데,
그렇다면 “~로 오시리라” 해야 했다.
“~을 타고” 라는 말은 무슨 말인가?

또 ‘구름’을 ‘중생한 기독성도’로 해석한 이가 있다.
‘구름’이 더러운 지상의 물이 증발(정화)되어 올라간 것으로서,
재림은 마음이 하늘로 향해 있는 ‘독실한 기독성도’를 배경 한다는 것이다.
이것은 중요한 핵심을 빗겨난 해석이다.
그렇다면 ‘구름’이 ‘태평양 물의 증발분’이란 말인가?

‘구름’이, 물이 증발되어 이루어지는 것은 맞지만,
그때의 그 물은 어떤 물이든 상관이 없는 모든 물이다.
태평양의 물이든, 남극의 물이든, 백두산 천지의 물이든,

아니면 시궁창의 물이든, 가슴속에 하늘 향한 뜨거움이 있으면
누구(어떤 물)나 '구름'을 이룰 수 있는 것이다.

'구름'을 '重生한 기독인'이라고 해석하는 것은
'구름' 곧 '태평양 물의 증발(수)분'으로 해석한 것과 같다.
구름이 태평양 물에서 가장 많은 구성분을 얻을 확률은 있겠지만
구름이 곧 태평양 수분은 아니다.
신(하늘)이 모든 이의 신(하늘)이듯 구름은 모든 물의 증발(수)분이다.
재림은 기독성도를 통하여 이루어지는 것이 아니라
마음이 하늘을 향해있는 모든 이의 가슴을 통하여서 이루어진다.

구름은 모든 수분의 統一 分, 곧 지금의 '統一'이다.
주님은 '基督'이 아닌, 統一'을 타고 오는 것이다.

2

하늘에 큰 이적이 보이니 해를 옷 입은 한 여자가 있는데
그 발아래에는 달이 있고 그 머리에는 열두 별의 관을 썼더라.
이 여자가 아이를 배어 해산하게 되매 아파서 애를 쓰며 부르짖더라.
여자가 아들을 낳으니 이는 장차 철장으로 만국을 다스릴 남자라
그 아이를 하나님 앞과 그 보좌 앞으로 올려가더라(계12/1~5).

성서의 주요 비유에서 해는 아버지, 달은 어머니, 별은 자녀(성도)이다.

'여자'를 두고 많은 해석들을 하지만 '해'와 '달'의 '여자'는 '統一'이다.

명확히, 오늘의 '통일'이 해와 달(참부모)의 종교요,
해와 달의 빛남(鮮明)으로 있는 교회이기 때문이다.
그래서 저들은 '참부모'를 일컫고 있는 것이고,
(그 반대편(북한)에선 '어버이 수령'이 나왔다.)
참자녀(메시아) 낳는 일을 주 사명으로 했던 것이다.
그래서 그는 세례요한과 똑같이 세례의식(축복식)을 주관했던 것이고,
그 의식에 각국의 정상 등 수많은 백성을 참예시키게 되었던 것이다.

히브리어로 참부모는 '엘리야' 곧 예비자이다.
'통일의 세례(축복)'는 '조건'이지 '실체'가 아니다.
메시아는 '조건 축복''조건 구원'을 하지 않는다.
또 '교리 풀이'나 '세례'를 주 사역으로 하지 않는다.
그는 병(병자)을 해결하는 일을 주 사역으로 한다.
그것이 바로 구원의 요체이고, 그가 전생(초림)에 한 일이기 때문이다.
병에 대한 해결이 있어야 실체축복, '영생(구원)'이 가능한 것이다.

3

"당국자[當局者]들은 이 사람을 참으로 그리스도인 줄 알았는가?
그러나 우리는 이 사람이 어디서 왔는지 아노라.
그리스도께서 오실 때에는 어디서 오는지 아는 자가 없으리라(요7/26,27)."

위 구절은 예수의 초림初臨때에 가졌던 이스라엘 사람들의 반응으로,
일반적 사람들이 현실에서 갖는 생각과 착각 내용이 잘 드러나 있다.
사람들은 대개 천국을 '현실과는 다른 먼 나라'라고 생각하고 있으며
재림 또한 '어떤 특별한 존재의 신비스런 현현' 등으로 생각하곤 한다.
그래서 현실적인 것과 사람에 대해서는 경시하거나 소홀하게 되어
같이 있음의 소중함을 잊고 뒤늦은 후회를 하고 말게 되는 것이다.

'선지자가 고향에서 환영을 받는 자가 없다'는 말도 같은 의미이다.
사람들은 지나간 위인이나 선지자에 대해서는 입이 닳도록 찬양하지만
막상 다시 그와 같은 인물, 곧 이순신이나 모세, 예수 같은 이가 오면
그들을 받아들이지 못하고 누명과 멍에를 씌워 코너로 몰고 가게 된다.
그 옛날 예수나 소크라테스 등의 성인들을 고통 속으로 내몬 사람들이
오늘 그를 찬양하고 숭배하는 '그대들'과 다른 사람들일까?
인격이나 혹은 신앙적으로, 오늘의 사람들과 다른 사람들일까?
아니다. 과거의 저들이 오늘 이들과 전혀 다르지 않으며,
인격이나 신앙적으로 결코 못하지 않다.
그럼 왜 저들은 예수나 이순신, 소크라테스 등의 의인들을 죽였을까?

오늘 역사를 더듬는 이유는 과거의 잘못을 반복하지 않기 위해서이다.
라틴(어)에서는 '진실'의 반대(어)가 '망각'이라 하지 않던가.
과거를 잊지 않음으로써 진리에 이르자는 것이다.
과거를 돌아봄으로 '헤맴'의 역사를 마치자는 것이다.
사람들이 현실 속의 의인들을 죽음으로 몰고 가는 이유가 있다.
'몰라보는 것'도 한 이유이다. 하지만 더 근본 된 이유가 있다.

왜, 무엇 때문에, 매번, 똑같이, 그들을 몰라보고 죽이게 되는가!

그것은 (다름 아닌)'악마' 때문이다.
현실의 그대가 '악마'이기 때문이다.
그대 안에 '이기'가 (남아)있기 때문이다.

사람들이 선지자를 죽음으로 모는 이유는 바로 자신의 '이기' 때문이다.
선지자의 행사는 현실 속에서 필연적으로 타인의 권익과 맞물리는 사안을 갖게 되는데, 이때 기득권자들은 자신들의 그 권익을 지키기 위해 경쟁자처럼 다가온 선지자의 발걸음을 장애로 여겨 제동을 걸게 되고, 모함과 계략으로 더 코너로 몰고 가게 되는 것이다.
기득세력들은 지나간 선지자에 대한 찬양에는 언제나 소리 높여 앞장선다.
그래야만 자신들의 권위가 더 서며, 자신들의 이념 또한 보장받기 때문이다.
하지만 막상 현실에서의 저들이 나타나면 그들의 태도는 급변한다.
자신들 이익이 침해되는 것을 간과하지 못하고 공격을 시작하는 것이다.

이순신을 죽이고 예수를 죽인 사람들이 다른 사람들이 아니다.
지금 소리 높여 그들을 찬양하고 숭배하는 사람들이다.
마음속에 이기를 가득 채우고 있는 바로 '그대들'이다.
지금의 찬양과 숭배는 단지 그 주체(자)가 과거의 사람이므로
현실의 자신과는 이익관계에서 아무런 엇갈림이 없기 때문이다.
만약 그 찬양과 숭배의 주체자가 현존의 인물이 되어
자신과 이익문제를 맞닥뜨리는 경쟁자로 서게 된다면
그대는 돌변하여 그를 다시 공격하기 시작할 것이다.

보라. 오늘 그대에게 자동차 접촉사고가 생겼다.
그대는 자신의 이익을 더 챙기기 위해 과장된 주장을 했다.
오늘 그 상대가 다름 아닌 '천사'였음을 그대가 알 턱이 있는가?

이처럼 선善이란 순간의 현실 속에서 성사되는 것이다.
이 사회는 이렇게 이익에 걸린 한 자신을 양보하지 않은 채
악마(이기)에 의해 주도되어 돌아가는 '사탄(권) 세상'인 것이다.
그래서 신은, 현실(현실적 이익)을 넘어서는 자만이
'그 나라'에 갈 수 있도록 하신다 하신 것이다.

4

재림再臨은 초림初臨 때와 같이 이루어진다.
같은 꼴의 같은 사회, 같은 시대적 상황에서,
같은 모습을 하고 '그 님'이 오시는 것이다.

인생은 유전遺轉되고, 역사는 재연再演되는 것이다.
백마를 타고 재림하신 예수 그리스도를 본 적이 있는가!
(신흥종교 교주들이 하나같이 그 같은 장면을 연출했다.)
미안한 말이지만 주님은 나귀(조랑 馬)를 타고 오신다.
그의 전생이 바로 그랬다!
단, 현대는 말馬이 교통수단으로 쓰이지 않는 것이므로
대신, 작고 아담한 자동차가 선택되어 쓰이게 될 것이다.

그는 크고 비싼 類의 승용차는 절대 쓰지 않을 것이다.
옛 조랑말이 승용전용이 아닌 운반겸용의 작은 말이었듯이
그는 똑같이 재연된, 작은 트럭을 타고 오실 것이다.

"호산나! 보리로다! 그는 겸손하여 나귀 곧,
멍에 메는 짐승의 새끼를 탔도다." (마21/5)

5

재림은 환생이다. 윤회이고 반복이다.
이루지 못한 것을 이루기 위해 오는 것이다.
그는 하늘이 이루려 했던 현실(땅)의 이상세계를 이루기 위해 다시 온다.
그는 물질 만능(사회)의 깜깜한 어둠에서 정신(빛)을 밝혀 오는 사람이다.
빛만이 그 빛을 볼 수 있다.
그래서 정신의 불을 켜고 깨어 있으라 한 것이다.
그는 홀로 위대한 존재가 아니다.
'홀로 위대'는 큰 힘이 될 수 없다.
에베레스트(산)의 높이는 그 (산) 맥에서 나온 것이다.
그는 같은 꼴, 같은 정신(감성)의 사람 능선을 타고 온다.
그는 순수하고 착한 사람들의 영혼을 배경으로 하여 온다.
그는 정신의 불을 켠 사람들을 통해서 온다.
그는 가난하고 힘없는 사람들을 둘러서 온다.
그 역시, 그와 같은 코드의 존재이기 때문이다.

그가 대단한 존재의 모습으로 올 것 같은가?
실족失足지 않으려면 환상을 버려라!

"실족지 않는 자, 복이 있도다." (마11/6)

6

"보라! 저기 있다, 보라! 여기 있다 하리라.
그러나 너희는 가지도 말고 쫓지도 말라." (누가17/23)

이적과 기사, 신출귀몰한 재주나 능력에 마음을 혹惑하지 말라.
그리고 보편적이고 평범한 자연의 진리 가운데 서 있으라.
전해온 경전과 설화 이야기는 다 이와 같은 보편적 진리들이다.
경전 이야기와 설화의 주제가 어떠한 것들인지 다시 확인하여 보라.
진리는 간단하고 단순하며 분명하고 명료한 것이다.

재림주는 뛰어난 재능과 능력을 필수요소로서 가지고 오는 것이 아니다.
내면의 '순수'와 '착함'을 필수요소로서 지니고 오는 것이다.
더하여, '고통(고통의 과정)'을 필수요소로 지고 오는 것이다.
사탄이 임금 된(이기에 의해 돌아가는) 세상에서 순수와 선의 길은
필연적으로 고통(길)이 되기 때문이다.

7

예수가 이 시대에 다시 오면 그는 또 바보로 몰릴 것이다.
정신병자, 또라이, 미치광이, 귀신들린 자, 귀신의 왕….
이것이 옛 시대, 같은 사람들이 그에게 준 별칭이다.

무지개를 좇는 사람들아 오버over하지 마라.
의식을 저 너머에 두지 말라.
오늘 그가, 똑같은 정신의 다른 모습, 곧 동양인으로 온다면
그가 다른 외모의 사람이란 것만으로 또 그를 몰고 갈 것 아닌가?

살아있는 자는 헐뜯고, 죽은 자는 숭배하는 자들아!
현실을 직시하라!
그를 찬양하지 말 것이다(그는 찬양 따윈 즐기지 않는다. 마12/7)

대신 그를 깊이 이해할 것이다.
그의 감성, 그의 의식, 그의 사정, 그의 아픔을 깊이 이해할 것이다.
그리고 곁에 있는 사람을 볼 것이다.
그러면 그 곁으로 말없이 지나가는
'슬픈 사람의 뒷모습'이 보일 것이다.

지금 그 '소자'에게 선을 행하는 것이
바로 그에게 행하는 것이다.(마25/40)"

영생永生

1

성서에, "한 세대는 가고 한 세대는 오되 땅은 영원하도다(전1/4)" 했지만
물질세계에 끝이 없는 영원한 것은 없다. 땅도 영원한 것 아니다.
단지 오고 가는 세대에서 볼 때 영원으로 보이는 것뿐이다.
끝없어 보이는 은하계도 우주의 무한 공간 앞에선 한 점에 불과하듯
땅의 시간(수명) 수백억 년은 우주의 시간 '억겁' 앞에선 '찰라'이다.
논리(철학)와 과학을 말하자는 자리에서 '영생'은 어울리지 않는다.
돌(비판) 받을 확률은 높고, 피할(증거 할) 방법은 없다.

그러므로 여기서 언급하는 영생은 끝없는 삶으로서의 영생이 아니다.
'끝없는 바다'가 정말 '끝없다'가 아닌, 끝없어 보인다는 뜻이듯,
그저 길고 먼(永) 생生, 불로장생으로서의 생이다.
대략, 우리 선조들이 읊조렸던 한 오백 년의 삶에 대한 것이고,
고대문서와 성서에 나타나 있는 타락 이전의 생 천 년에 대한 것이다.
'千歲'는 우리 민족이 오랫동안 사용해 온 '萬歲' 전의 구호이다.

2

영생은 고통의 가지 끝에 매달아둔 신의 선물이다.
신은 자신의 선물을 모두 이와 같은 방식으로 준비해 놓으셨다.

이기의 사탄 권내에서 선과 양심의 길은 고통으로 통한다.
貞(정도령)으로 오는 이는 그 길을 본보기 노정으로 가는 것이고,
그 과정에서 봉인됐던 생명나무(영생)의 문을 열게 되는 것이다.

"그가 먼저 많은 고난을 받으며 세대에 버림받은 바 되어야 할지니라"
현자의 돌 메시아가 '건축자의 버림받은 돌'로써 세상에 버림받고,
'그룹들과 두루 도는 화염검'을 걷고 생명나무로 나아가는 과정은,
청교도들이 교황권 박해를 뒤로하고 바다를 항해하여 신세계에 이르고,
콜럼버스가 수많은 충고와 미신을 뒤로하고 신대륙으로 가는 과정과 같다.
죽음과 같은 고통의 경계를 통과하는 것이다.
순수와 선, 감사의 마음 등은 길고 어두운 고통의 터널을 지날 때,
신의 음성을 응원으로 듣게 해준다.
"내가 너와 함께 한다. 두려워하지 말고 담대히 가라"
그 응원으로, 현자의 돌 메시아는 자신에게 주어진 고난의 초달을 견디고
새 지경에 발을 딛게 되는 것이다.

3

죄의 삯이 사망이었다면 다시 죄 사함의 삯은 영생이다. (롬6/23)

젖과 꿀의 가나안이 구약 유대민족이 절대 유일 가야 할 곳이었다면
영생의 가나안은 21C 현대인류가 절대 유일 가야 할 곳이다.

영생(구원)을 죽은 후에 이루는 것으로 착각하는 이들이 있다.
그것이 영생이고 구원인 것이라면 애써 신앙을 할 필요가 없다.
어느 누가 죽어 없어진단 말인가?
어느 영혼이 죽어 사라진단 말인가?
죽은 후에 영생인 것이라면 악인들도 하는 것이다.

경전은 살아서 영생하는 것을 말하고 있는 것이며,
선사역사 역시 옛 선조가 영생했음을 말하고 있다.

4

죄의 삯이 사망이라면 그것은 병과 무슨 관계가 있는 것일까?
생로병사의 인생에서 영생을 말하려면 병에 대해서 알아야 한다.
병이 죄와 관련이 있는 것인가, 없는 것인가?

종교적으로 말하면 죄와 관련이 있다 할 것이고,
비종교적으로 말하면 병은 생활(습관)의 잘못으로 인함이니
그것은 무지, 곧 지혜 없음 때문이라고 말할 수 있을 것이다.
예수가 병에 걸린 사람에 대해, 죄 때문이 아니고
단지 하나님의 영광을 드러내기 위함이다 하였지만
정작 병을 고치실 때는 "너의 죄를 사하였다." 하였으니
병은 죄의 결과인 동시에 하늘의 은사도 되는 것이다.
병이 하늘의 은사가 되는 것은 그것을 극복하는 과정이
곧 완전(구원)으로 향하는 길이 되기 때문이다.

죄 없는 사람이 없듯, 병 없는 사람은 실제로 없다.
단지 (아직) 드러나지 않아서 모르고 있을 뿐이다.
만약 정말 병(죄) 없는 사람이라면 그는 영생할 것이다.

현자의 돌 메시아는 죄(병)가 없는 사람이 아니라
죄(병)를 극복하며 연금에 이르게 된 사람이다.

5

영생永生, 이것은 사실 알 수 없다.
검토할 방법도, 증명할 방법도 있지 않다.
하루살이가 어떻게 황새의 생을 검토할 수 있을 것이며,
(나무) 가지가 어떻게 그 잎 새에게 자신의 생을 보여줄 수 있단 말인가

그저 아는 것을 진실하게 말할 뿐, 나머지는 믿음의 영역이다.
'진실'은 '사실'에 우선한 것이다.
만일 그 마음에도 진실에 대해 응應하고자 하는 마음이 같이 한다면
그 속에 이러한 음성이 흘러나올 것이다.
"가고 있는 이 길이 가나안(영생)이 아닐지라도……. (난 행복하다)"
그렇다.
이 길, 가나안이 아니라면 어떤가?
영생이 아니라면 어떤가?
애초, 무엇을 바라고 걸어온 길이던가?
이기적인 일체의 것을 다 버리고 가는 길이다.
이타의 기쁨, 사랑의 진실만으로 족한 길이다.

그래도…….
사실에 대한 근거가 전혀 없는 것은 아니다.
'중간(과정)'은 모든 사실의 과학적 근거로 선다.
가슴속에 다그치지 않는 마음, 여유를 가진다면 '중간' 곧,
보석처럼 빛나는 '젊음'과 '건강'을 확인할 수 있을 것이다.
시간 홍수(세월)에 잠기지 않고 유유하는 '방주의 실상'을 볼 수 있을 것이다.

6

연금술은 영생술이다.
그것은 이 세대에 있어서 절대 믿기지 않는 일일 것이다.

우거진 숲 속 나무를 내려와 처음 '평원'을 말했던 '호모에렉투스'처럼
이 시대 '영원'에 대한 언급은 낯설고 엉뚱한 이야기로 들려질 것이다.
하지만 한 존재의 진화적 등장에는 항상 이와 같은 이야기가 같이한다.
당대에는 믿기지 않는, 엉뚱한 이야기들이 항상 같이하고 있었던 것이다.

원숭이가 숲을 버리고 평원으로 나아가던 일이 당대 동료들에게 믿겨졌을까?
올챙이가 꼬리를 없애고 양서(류)의 단계로 가던 일이 당대 동료들에게 믿겨졌을까?
애벌레가 고치를 버리고 비상(나비)의 단계로 가는 일이 당대 동료들에게 믿겨졌을까?
그 모든 일들도 처음의 각 단계, 당대 현실 속에선 망상과 공상으로 여겨졌을 것이다.

인생이 가는 자리는 '영원'이다.
뭇 존재가 향하는 자리도 '영원'이다.
'영원'은 모든 존재가 추구할 최고, 최상의 가치인 것이다.
땅 위의 존재들이 순간과 물질을 쫓는 듯하지만,
깊은 자리에는 언제나 신의 '영원'을 추구하고 있다.
그러므로 순간의 가치로 영혼을 채울 수 없다.
순간(물질)의 가치로 영원을 바꿀 수 없다.

이제까지 인류의 믿음과 기도와 찬양과 노래는 모두 '영원'이었다.
고대 피라미드도, 인류의 뭇 경전도 인간 염원이 '영원'임을 말하고 있다.
祈禱의 원뜻 자체가 영생(壽)에 대한 기원祈願인 것이며,
행사 마지막에 '만세萬歲'로 그 염원을 합창하였던 것이다.
萬歲(영생)는 믿음에 대한 보상(요5/24)이고, 선에 대한 보답이다.
지금은 과거의 모든 꿈과 소망이 현실로 현현되는 단계이다.

7

'약속의 땅'은 요단 강 건너에 있다.

기원전의 인류가 '젖과 꿀의 가나안'에 들기 위해 요단 강을 건너야 했듯이
오늘 인류가 '영생의 가나안'을 들기 위해선 같이, 요단 강을 건너야 하는데
그것은 자신 안의 영원 생명의 길을 가로막고 있는 경계선, '허리'이다.
상, 하와 진보와 보수를 가르고 있는 그 경계이다.
그 굳은살 박인 자리, 앙금진 자리의 경계를 소통시키며 영원 건강에 이른다.*

인체는 무한히 생을 유지할 수 있는 잠재력이 있음을 과학이 밝히고 있으며
오히려 노화야말로 의학이 풀지 못하는 최대의 미스터리이다 – 톰 키크우드

생명나무

인간의 소망은 생명나무이다. (창3/22,잠12/12)

생명나무의 실과는 永生이다.
인간이 생명나무에 이르는 과정은 금속이 황금이 되는 과정과 같으며
凡人이 철인(메시아)이 되는 과정과 같다.

인간의 생명나무에 대한 소망은 직접 이룰 수 있지 않고,
매개자, 메시아를 통한 접붙임으로 이를 수 있다. (롬11/17)
건축자로부터 버려지고, 세대의 버림을 받은바 된(눅17/25)
'어두운 흙덩이', '현자의 돌'과 하나 되어야 한다.

시대의 버림받은 자에게 가는 길은 좁은 문(바늘 귀)으로 통하는 협곡이다.
거대한 기름 덩어리 혹을 등에 단 낙타(현대인)로는 그곳을 통과할 수 없다.
낙타의 혹은 사막을 건너는 데 필요한 양식으로의 기름 곧, 현실 혹이다.
그 현실 혹을 잘라 버리고 이상의 쪽배로 몸을 옮겨 실어야 한다.
'길이 있어서 나선 것이 아니라 발을 내딛고 보니 길이 생겼던 것(여호수아
와 사제들이 요단 강을 건널 때)'처럼 현실의 타산을 버리고 나아가야 한다.

생명나무는 그룹들과 두루 도는 화염검으로 에워있는 현실 너머의 나무이다.*

성色

1

연금술의 완성은 色(색깔)의 완성이기도 하다.
변치 않는 영원의 色을 찾아 이루는 것이다.
色은 性質이고, 마음心을 낳는生 생명의 원료이다.

정신을 중심으로 하고 색色을 이루면 빛(흰색)이 되고,
육(물질)을 중심으로 하고 색을 이루면 어둠(흑색)이 된다.

色은 이기의 뱀이 똬리 틀고 숨어있는 요단 강 강둑 아래의 요새要塞이다.
꾸준히 정신(이타)을 추구하여 자신을 광야(몸의 이기적 욕구)에서 이끌고,
마지막 이기의 뱀이 숨어있는 요새를 정복하고, 요단 강을 건너야 한다.

2

色은 순수한 영혼에 반작용으로 나타나는 어둠(육체)의 에너지다.
色에 대한 욕구가 강할수록 그 영혼 내부는 순수의 욕구를 강하게 지니고

순수에 대한 욕구가 강할수록 그 육체 내부는 色의 욕구를 강하게 지닌다.
이것은 고통스러운 모순이다.
하지만 또 생명의 길이다.
성은 신이 존재에게 가하는 연금의 장이다.
육肉을 통해 영원(정신)을 탄생시키기 위한 화로火爐이다.

현자의 돌, 메시아는 性으로의 치열한 달굼(고통)의 과정을 통하여
肉을 넘어 정신으로의 연금 즉, 공색空色을 이루게 된 사람이다.
육으로부터 뿜어지는 검은 화염(화염검)을 걷어 젖히게 된 사람이다.
연금을 이루는 황금의 순수는 이물질(불순물)이 없는 것이 아니라,
내재한 이물질(불순물)을 정화해 생명화함으로 이뤄지는 것이다.
그렇게 생명화 된 순수는 더러움 속(진흙)에서 피어나는 연꽃처럼
어떠한 불순물에도 속화되거나 동화되지 않는 '순정純晶'이 된다.

지금까지 인류에게 있어 사랑과 性으로 통하는 '선악나무'의 길은
에덴동산에서의 또 하나의 길, '생명나무'의 길과 함께 막혀있었다.
이기를 못 버린 (타락한) 인간에게, 동산 가운데 축복의 실과는
허락될 수 없는 '금단禁斷의 과실'이었던 것이다.

3

이타적 질서 안에서의 부富의 추구와 축적蓄積은 곧 선善인 것처럼,
이기를 버리고 이타를 이룬 공적公的 사회에서의 성적 욕망과 그 추구는

추醜와 악惡이 아니라, 미美와 선善이다.
아름다운 자와 건강한 자가 가질 수 있는 특권인 것이다.

성은 원래 성숙한 인류가 취해야 할, 신이 준 축복의 과실(선과)이지만
인간이 육신(利己)을 넘어 정신(利他, 大我)을 취하지 못하게 됨으로써,
신은 자신의 파수꾼(종교와 도덕)을 두어 그 길을 지키게 하였던 것이고,
이기의 독毒이 남아있는 미성숙한 인류에게 '금단의 열매'가 되도록
조치하셨던 것이다.

그러므로 새날에 다시 인류가 그 열매를 축복으로 허락받으려면
이기의 몸을 죽이고 거듭나(重生), 이타의 정신으로 깨어나야 한다.
육체적 욕구(남성)와 물질적 욕구(여성)를 완전히 내어버려야 한다.
남성과 여성에게 놓인 이 두 욕구가 바로 이기의 발원으로서,
태초 에덴에서 생명 길을 막았던 '그룹들과 두루 도는 화염검'이다.
두 욕구를 넘어서지 않고 '에덴동산'에 이를 수 없다.
두 욕구를 버리는 과정이 '죽고자 하는' 과정이고,
죽고자 하는 과정이 생명나무로 나아가는 길이다.

그 과정은 연금술사가 현자의 돌로 금속을 연금하는 과정으로,
환인이 쑥과 마늘로서 곰을 동굴에서 지내도록 하는 과정이고
야훼가 만나와 메추리로 노예들을 광야에서 지내도록 하는 과정이다.
시험과 과제를 달게 받음으로 약속된 나라로 인도되게 되는 것이다.
태초에 인간이 벌거벗었으나 부끄러워 아니하였던 것처럼 (창세기2/25)
끝날 인류는 다시 처음 모습으로의 회귀를 꿈꾸게 된다.

인류가 처음 죄(原罪)의 결과로 하체를 부끄러워하게 되고,
생명나무로 나아가는 길이 막혀버리게 되었던 것처럼 (창세기 3/24)
다시 죄(이기)를 청산하고 복귀(이타)의 길 위에 서게 되면
벗음이 부끄러움이 되지 않고 생명나무와 선악나무의 열매를
축복의 과실로 허락받을 수 있게 될 것이다.

어원語原에서 福이란 인류가 에덴동산에서 사는 것을 말하는 것이다.

4

높다는 것은 정결하다는 것이고, 낮다고 하는 것은 더럽다는 것이다.
그래서 높이 있는 '구름'은 깨끗하고 정결한 것을 상징하고 있다.
지금까지 인류는 성적인 일탈이나 만용을 더러운 것, 떨어지는 것 등의
'타락'과 '윤락'으로 표현해왔다.
그리고 그 반대의 경우(금욕)는 높은 경지에 오르는 것, 깨끗한 것 등의
'순결'과 '고결'로 표현해왔다.
과연 틀리지 않은 표현이다.
하지만 높이 오르고 올라 '저 높은 곳'에 이른 후에는 어찌할 것인가?
금욕(순결)의 최고봉이 종교적 노정과 맞닿아 있고
그 길에서도 최고의 경지, 해탈에 이른다면 무엇이 있을 것인가?

정신의 일은 흡사 로켓의 일과 같다.
순결함과 고결함으로 '저 높은 곳'에 이르기까지는

떨어지는 것(타락)에 죽음만큼 두려워하고 경계해야 할 테지만
'저 높은 곳'에 이르고 난 후에는 더는 그럴 필요가 없게 된다.
무중력의 세계가 펼쳐지기 때문이다.
무중력의 세계에서, 내가 더는 떨어질까 오염될까 걱정할 필요가 없다.
도덕적으로 정말 높이 올라간 자리, 탐욕이 없는 자리, 이기가 없는 자리,
그 끝자리에서는 성聖 속俗, 높고 낮음, 깨끗함과 더러움이 따로 있지 않다.
그저 (자기중심으로의) '이기 없음'으로 통할 뿐이다.
완전한 이타로 이기의 불순물이 남아 있지 않은 純晶의 사람에게
깨끗함과 더러움, 성스러움과 속됨은 구별에 의미가 없는 것이다.

사랑의 극極은 번지점프를 하자는 것이다.
지고지순하고 이기가 없는 숭고한 사랑으로 지극히 높은 고지에 올랐다면
이제 견고하게 결속된 사랑의 줄을 믿음으로 아득한 나락에 뛰어볼 일이다.
그 점프에서, 견고하게 결속된 사랑의 끈이 없다면 나락은 곧 죽음이겠지만
이타의 마음으로 똘똘 뭉쳐진 견고한 사랑의 동아줄이 같이한다면
그것은 스포츠와 레저 외 다름 아니다.
윤락이니 타락이니 하는 것들은 지고지순하고 숭고한 이타의 사랑으로
무장된 사람에게는 상관없는 일이다.
그래서 예수는 간음한 여인에 대해 단죄의 입장을 취하지 않았던 것이다.✻

최초의 업業(原罪)

1

생물의 처음, 세포의 분열이 있기 전에는
뿌리와 줄기, 가지와 잎은 구분이 없었다.
분열이 있고서야 그 구분이 시작되었다.
아직 처음, 인간이 나오기 전, 정신계에서의 지각과 분열이 있기 전엔
세상에는 지금과 같은 윤리와 도덕과 선과 악 등은 구분되지 않았다.
정신적 분열과 자각이 있고서야, 진 선 미의 큰 가지가 분류되고
선과 악, 의義 불의不義 등의 가치가 구분이 있게 되었다.
최초의 분열로 전개되는 형태와 구조는 이후의 작용에 큰 틀을
형성하여 남기게 된다. 이 시기始期에 발생하고 생성되는 모든 것은
존재의 내부에 강한 법칙과 습성으로 새겨져 존재의 행위양상에
주도적 지배 작용을 하게 되는 것이다.
인간 처음의 정신적 분열의 핵심은 '성적性的 자각'이었다.
성性은 미미한 존재에서 고등한 존재에 이르기까지,
가장 크고 중요한 영향의 메커니즘으로 선다.
인간은 동물의 지경을 벗어나는 마지막 걸음에서
'성性'에 대해 어떤 '단계'로서의 자각을 한 것이다.

그것은 동물이면서 동물이 아닌, 신을 닮은, 신의 아들이고자 하는 것으로,
진화의 첨단에서 나온 의식혁명인 것이다.
인간이 처음 갖게 된 그 의식은 탈동물의 시작이었다.
그 의식을 달성하였더라면 탈 동물을 완성한 신의 아들이 되었을 것이다.
하지만 처음 인류는 그 의식을 완성하지 못한 채 미완으로 출발을 이루어
동물 지경을 벗어나지 못하고 갈등하는 존재로 역사를 이어오게 된 것이다.
태초의 인간에게 일어났던 자각과 그에 대한 業은
내면의 큰 틀이 되어서 사회 저변을 흐르게 되었다.

2

최초의 업業은 이어 어떻게 전개되었던가?
기록(성서)을 보면 '처음 인간'은 자신의 자각으로
'선악과를 따먹지 말라'는 계誡를 가지게 되었으며,
뱀의 유혹으로 그 계誡를 지키지 못하게 되었고,
이후 '벗음'에서 '가림'으로 변화를 가지게 되었다.

많은 종교에서 공통으로 말하는 이 최초 업(原罪)에 대한 내용은
생물학적으로 유전자에 한 '나쁜 선례'를 남기게 된 것을 의미한다.
이 최초의 형성된 '나쁜 선례'는 하나의 치명적 유전자가 되어
이후 역사를 악惡으로 작용케 하는 유전적 요인이 되었던 것이다.
최초의 業은 개인적 생은 물론 인류사회의 역사적 걸음에 깊이 연유되어
갈등과 혼란, 어둠과 사망(멸망)으로 이끄는 因子가 되어왔던 것이다.

인류 역사는, 최초 유전자가 남긴 불완전한 기억에 대해 무의식중에도 반응하여, 그 극복을 위한 방편을 치열한 발걸음으로 옮긴 응전의 기록이다.
인류의 모든 종교와 사회도덕은 무의식중에서도 이 '가림'의 행위유발체인 '淫亂'의 이것을 경계의 최일선에 세움으로써 '應戰'의 역할을 해온 것이다.
성서는 최초의 이 '나쁜 선례(業)'의 결과로 인간이 죽음에 이르게 되었다는 것과, '생명나무'로 나아가는 길이 막히게 됨을 기록하고 있다.

3

메시아는 업(原罪)이 없이 온 사람이 아니라, 업業을 제거한 사람이다.
철저하게 정신을 지향함으로, 그 정신이 지향하는 뜻, 이타(善)를 이뤄, 몸을 근거로 활동하는 악마와 그 작용(業)의 굴레를 벗게 된 사람이다.
그는 모든 사람들이 가지고 있는 것처럼 자신에게도 있는 그 불완전하고도 치명적인 처음의 업(원죄)을 극복하기 위해 스스로 처절하고도 눈물겨운 고난의 과정을 거치는 것이다.

성性은 이기가 발원하여 강을 이루게 하는 모든 악의 발원지이다.
메시아는 완전한 이타 의식으로 뱀이 지키고 있는 요단의 色江을 넘어 젖과 꿀이 흐르는 자유와 평화지대에 안착하게 되는 것이다.
처음 인간(아담)에 의해 벌어졌던 최초의 업(原罪)은 끝날 인간(후아담, 메시아)에 의해 맺음 되게 된다.
그는 성sex에 대해 새로운 질서와 기준을 세움으로써 罪로부터 자유하는 새 질서의 세계를 이끌게 되는 것이다.✻

4장

내 심장은 고성능 펌프

깊고 깊은 심연의 못가
높고 높은 이성의 둑 위
폭포 같은 물줄기 뿜어내

내 가슴은 천년 고인 호수
퍼내도 줄지 않는 심연 샘

이내 샘물 천년 다시 흘러
그대 생명 피울 수 있을까?

정도령

1

우리 민족은 근세 격변기를 거치면서 '정감록'과 '격암유록' 등의 예언서를 두게 됐다.
그 예언서에는 장차 정도령이라는 이가 와서 부패하고 사악한 탐관오리들을 몰아내고
새 정의의 사회를 이룰 것이라는 예언을 담고 있다.
이를 근거로 하여 많은 선동가들이 '정도령'을 자청해왔다
어떤 이는 성姓이 정씨鄭氏라는 것으로 정도령이라 했고,
어떤 이는 고향과 출신을 앞세웠으며, 또 다른 많은 논리의 내세움도 있었다.
하지만 '정도령'의 진정한 의미는 무엇일까?
의미를 모르고서 그 '본체'가 될 수 없다.

정도령은 貞道令이다.
'정貞'의 '길道'을 '령令'하고, '정貞'을 '운云'하는 사람이다.

貞이 되어야 비로소 正이 된다.
세상이 모두 '正(政治)''正(正論'), (말)하며,
자신만이 '正하다' 말하지만, 거기에는 '正'이 없다.
貞 곧, '곧음'이 없기 때문이다.

正은 貞의 끝에서 나오는 결과의 것이다.
그러므로 貞 없는 正은 없고, 貞이 있으면 正은 자동이다.

태초에 머리를 하늘로 하고 허리를 곧이 세운 짐승이 인간이 됐듯이,
누구든지, 어떤 분야든지, 물질 貝를 뒤로하고 마음을 '곧이 貞' 하면, 그는 그 길(분야)에서의 '정도령'이 된다.

그러면, '때가 되면 오리라' 한 님은 어떤 길을 貞으로 가는 사람일까?
그는 종교와 철학 분야의 길을 貞으로 가는 사람일까?
과학과 기술 분야의 길을 貞으로 가는 사람일까?
예술과 체육 분야의 길을 貞으로 가는 사람일까?
아니면 모든 분야의 貞을 다 이루는 사람일까?

그는, 오직 선(善의 길) 하나(만)를 貞으로 하는 사람이다.
'善'을 원칙, 법칙, 철칙으로 삼아, 절대선絕對善의 길을 가는 사람이다.
그 하나만으로 그는 정도령 중에 정도령(만왕의 왕)으로 서게 된다.
선이 바로 모든 일과 분야, 가치의 맨 밑바탕이 되는 것이기 때문이다.

그는 선한 목자로서, 원수로부터도 '착하다'는 평을 받게 될 사람이다.
하지만 그는 '시대에 버림받은 자'로 온다,
월매도 향단이도 거들떠보지 않는 '상거지'로 오는 것이다.
'버림받음'은 올곧이 여정貞道의 필수과정이다.

2

정도령은 암행어사로서 '왕의 패(馬牌)'를 지니고 오는 자이다.
그 마패는 '하늘의 인친 표' , '하늘 말의 牌'로 곧, '진리의 패'이다.

마패는 어사의 전유물로 왕의 특권을 행사할 수 있는 증표지만
간혹 거짓 것(적그리스도)이 풍속을 어지럽히는 일도 적지 않다.
그러므로 그의 '진품확인'은 오랜 공부와 경험, 비교 관찰이 필요하다.
선수는 선수를 알아보고, 전문가는 전문가를 알아본다.
진리는 진리를 알아보며, 빛(정신)은 빛(정신)을 알아본다.

21C, 새 시대를 통하는 마패코드는 '과학'과 '현실' 그리고 '영생'이다.
이제 누구든지 '진리'를 말하려면 과학을 기저로 놓고 말해야 한다.
누구처럼 과학(진화)을 부정한 채 과학자들을 불러 모아선 안 된다.

누구든지 '구원'을 말하려면 현실적 구원을 바탕으로 말해야 한다.
누구처럼 과거의 조상이나 사후(靈)이야기로 구원을 말해선 안 된다.
누구든지 '영생'을 말하려면 과학의 근거가 될 '중간(젊음)'을 보여야 한다.
누구처럼 대머리에 청춘이 사라진 노구老軀로 그것을 주장해선 안 된다.

새천년의 진품마패는 이와 같은 그림들이 그 안에 선명하게 새겨 있어야 한다.
'과학 아닌(없는) 진리','현실 아닌 구원','젊음 없는 영생'은 부럽지도 않다.

그는 자신의 말을 다시 하게 되는 것이다.
'나는 길이고 진리이고 생명이다.'

3

정도령은 스스로 거지(貧者)이므로, 서민으로서, 서민의 편에 서서 과다(부당)하게 자기 잇속을 챙기는 사또(기득세력)들을 심판하고 모두가 행복하고 보람 있는 정의의 이상 사회를 이루기 위해 온다.

지금의 때는 변사또의 생일 잔칫날(물질 만능의 시대)이다.
이기의 거짓 임금이 풍요의 잔치를 벌이고 가락을 읊는 때이다.
그럼, 그의 생일 잔칫날 올려졌던 이도령의 시 한 편을 다시 볼까나?

金樽美酒千人血	금술통의 아름다운 술은 만백성의 피요
玉盤佳肴萬姓膏	옥쟁반에 기름진 찬은 만백성의 기름이다
燭淚落時民淚落	촛불의 눈물 떨어질 때 백성의 눈물 떨어지고
歌聲高處怨聲高	노랫소리 드높을 제 원망소리 드높다

지금은 이기(물질)의 거짓 것이 배를 가득 채우고 낄낄대고,
진실(정신, 순수, 선)은 그 밑바닥에서 헐떡이고 허우적대는,
진실은 죄인처럼 포박되고 심판대에 서고, 거짓이 임금처럼 배좌하고 호령(심판)하는 목불인견[目不忍見]의 그런 세상이다.
이 모든 부조리를 배경으로 정도령은 다시 온다.*

엘리야

1

"광야의 외치는 자의 소리가 있어 가로되,
너희는 주의 길을 예비하라.
그의 첩경捷徑을 평탄케 하라." (마3/3)

엘리야란 원래 '참(하늘) 아버지(엘리)'란 뜻의 이름으로
시간적으로 뒤에 오는 자, 참 자녀인 메시아를 위하여
그의 갈 길을 곧고 평탄케 하는 자이다. (요1/23)

사람들이 메시아-주인공, 엘리야-엑스트라로 생각하는 경향이 있는데
그것은 하늘 뜻을 잘못 아는 데서 오는 착각이다.
실로 엘리야는 참부모이고 메시아는 참자녀이다.

"그의 갈 길을 곧고 평탄케 하는 자"란 참부모밖에 없는 것이다.
(엘리야 자체가 히브리어로 참(하늘, 정신)부모의 의미이다)
이천 년 전 메시아(예수) 사역에 앞서, 엘리야 세례요한이 온 것처럼,
21C, 새천년에도 메시아에 앞서, 엘리야가 왔다.

오늘날 '참부모라 이름한 이'가 바로 '그'이다.
그래서 그는 이천 년 전 침례자 '세례요한'과 같이(똑같이)
'祝福(축복식)'이란 이름으로 '성수 세례의식'을 집행하게 되었던 것이다.

참부모란 무엇인가? 자녀의 길을 예비하는 자이다.
그래서 세례요한은 예수 사역에 앞서 광야의 외치는 자의 소리로
교훈을 주고 때를 알려 메시아의 길을 예비하였던 것이다.
참부모란 또 무엇인가?
자녀를 낳고, 자녀를 위한 길을 가며, 자신의 유산 또한 물려주는 자이다.
하지만 이천 년 전 참부모로 왔던 세례요한은 그 책임을 다하지 못했다.
주를 위한 길을 다 가지 못했으며, 유산(제자) 또한 넘겨주지 못했다.
그래서 그 제자들은 '네 스승이 크니,' '내 부모(스승)가 크니' 다퉈야 했다.

"부모로부터 기반을 넘겨받지 못한 자 불행할 저, 가는 그 길이
'예비 된 평탄 길' 아닌, '험난한 가시밭길' 아닐 수 있으랴!"

2

말로만 (증거)하는 것은 참부모가 아니고, 참부모가 될 수 없다.
옛 엘리야와 마찬가지로 21c 엘리야는 그 책임을 다하지 못했다.
참자녀를 위한 길을 가지 못하였고, 유산(기반)도 물려주지 못하게 된 것이다.
그래서 메시아는 그때와 마찬가지로 엘리야(부모)를 두고 이런 말을 한다.

너희가 무엇을 보려고 광야에 나갔더냐?
바람에 흔들리는 갈대를 보러 갔었느냐? (아니다!)
그러면 너희가 무엇을 보려고 나갔더냐?
부드러운 옷(비단옷, 왕실 옷) 입은 사람이냐?
보라! 화려한 옷 입고 사치하게 지내는 자는 왕궁에 있다!
그러면 너희가 무엇을 보려고 왕궁 아닌 광야에 갔었더냐?
선지자냐? 그렇다!
내가 너희에게 이르노니 선지자보다 나은 자(메시아)니라. (누가7/24~27)

21C 엘리야 되는 통일[統一]은 무엇하러 광야에 나갔는지 모른다.
무엇하러 그 광야(원리의 길)에서 고난과 핍박을 받았는지 모른다.

돈을 벌기(기업을 하기) 위해서 갔었던가?
좋은 차[車]와 집[住宅]을 위해서 갔었던가?
보라! 그와 같은 것은 세상 사람들이 더 잘하고 있다!
그럼 무엇을 위해 그 모진 광야(원리의 길)에 갔었던가?
진리 때문인가?
단정하건대, 진리(종교적 진리)보다 나은 것, 곧 과학(과학적 진리)이다.
(맨 처음, 저들은 누구보다 과학적 진리를 주장하고 주창했었다.)
신이 자신들을 광야에 내몰아 세상으로부터 핍박과 몰이해를 받게 한 건,
자신들은 절대 다른 이에게 그와 같은 일을 하지 말라 함이 아니었던가?
하지만 이천 년 전 요한과 마찬가지로 21C 요한 통일은 참자녀에 실족했다.
실족했을 뿐 아니라, 그들과 똑같은 행태로 참자녀를 내쫓고 내몰았다.
그래서 참부모의 때부터 지금까지 하늘나라는 침노를 당하게 된 것이다.

3

일생을 광야에서 메뚜기와 석청으로 연명하며 수도했던 세례요한에게
"무엇하러 광야에 나갔느냐. 갈대를 보러냐?"고 묻는 예수의 언행은
실은, 더할 나위 없는 모욕적 언사의 내용이고, 질책이었던 것이다.
다시 말해, "뭐하러 광야에 갔었니! 도 헛 닦았구나!"하는 말이기 때문이다.

이러한 예수의 얽힌 사연을 전혀 모르고 있기 때문에 지금까지 기독교는
요한이 오직 위대하고 훌륭한 하늘의 선지자인 줄만 알고 있었던 것이다.
더욱이 '통일'은 그러한 세례요한의 역사적 과오를 잘 알고 있었으면서도
그 걸었던 실패의 길을 답습하고 말았으니 얼마나 안타까운 현실인 것인가.
너무나도 똑같이 재현되는 역사의 굴레 앞에 그저 입이 다물어질 뿐이다.

오늘의 엘리야와 메시아의 이야기(내용)는 흡사 '신대륙 착륙' 이야기와 같다.
1492년, 콜럼버스는 "바다에 끝이 있고 그 종착역은 절벽, 추락"일 것이라는
세간의 상식과 미신을 뒤로한 채 오직 과학적 믿음 아래 항해를 단행하여
아메리카 대륙에 도착한 최초의 항해자가 되었다.

하지만 그는 항해 끝에 도착할 나라가 황금과 비단이 가득한 '동양'이 될 거라는
잘못된 관념 때문에 도착한 땅이 신대륙이 아닌, 동양의 한 부분이라고 여겼다.
그래서 현 '아메리카'는 콜럼버스의 이름이 아닌, 뒤이어 도착한 '아메리고'라는
후발 항해자에 의하여 그 실제적 지명이 명명되게 되었던 것이다.

오늘의 엘리야와 메시아의 관계도 그처럼 그 가는 길, 하는 일은 유사하나 그 실적을 놓고서는 '선구자(뿌리)'와 '실현자(열매)'로 족적을 남기게 되는 것이다.

그 옛날 엘리야(신대륙 개척자)임에도 자신이 엘리야인지 몰랐던 세례요한과
오늘날 메시아(황금 땅 착륙자)가 아님에도 자신을 메시아로 착각한 문선명은
콜럼버스가 그릇된 지식과 확신으로 자기 자리의 실상과 실체를 몰랐던 것의,
인간이 흔히 가질 수 있는 착시적 관점의 면모를 잘 보여주고 있다.

인간은 자주, 자신이 처한 위치와 자신이 하는 일에 대해 착시하는 존재이다.
역사 속 자신의 위치와 역할은 더더욱 잘 모르고 지나기 쉬운 것이다.

며느리를 욕하면서도 정작 자신이 그 옛 설화 속의 나쁜 시어머니인 줄 모르고,
탐욕의 재판관이면서도 정작 자신이 그 옛 역사 속의 의인을 재단했던 그
탐욕(권위추구)의 재판관인 줄 모른다.

지금의 자신은, 설화(역사) 속 어느 누구의, 어느 순간을 재연하고 있는
실연의 실재적 존재(주인공)이다.

자신이 항상 옳을 것이라는 관념은 버리는 것이 좋다.
인간은 자주 실수하고 오판하고 실패하는 존재이다.
메시아는 오히려 자신이 얼마나 부족한 존재인지 잘 아는 자이다.*

메시아 1

1

메시아는 히브리어로 "기름 부음 받은 자"의 뜻으로,
왕이나 선지자, 제사장 등의 의미를 지니고 있다.
그것은 연금술사의 목적을 이룬 '황금'과 같은 의미로,
궁극적으로는 영원한 통치자로서의 왕, 구세주를 뜻한다.

메시아는 참부모(엘리야) 뒤에, 참자녀로 오는 이다.
앞서 온 참부모(엘리야)의 '평탄케 한 길' 뒤에서
그 길을 완성하고 '결실'을 이루는 사람이다.
그러므로 엘리야(참부모)는 나무의 '뿌리'이고,
메시아(참자녀)는 나무의 '열매'가 된다.

그럼 구세주 메시아는 어떤 사람일까?
불교의 제단 위로 오는 사람일까?
아니면 기독基督의 제단 위로 오는 사람일까?

아니면 설화와 민담의 주인공으로 오는 사람일까?

그는 어느 하나에 속해서 오지 않는다.
어느 하나가 아닌, 모두에 속한 사람이기 때문이다.
그는 흡사, 한국과 중국의 국경 가운데 솟아있는 백두산과 같다.
또, 많은 나라의 령을 아우르며 솟아있는 히말라야(산맥)와 같다.
이뤄낸 높은(정신적) 지경으로, 모든 경계를 아우르며 오는 것이다.

메시아는 교파와 이념, 민족과 인종을 초월해서 온다.
크로스 오버cross over 된 중도의 길을 통해서 오는 것이다.

2

세상을 구원하기 위해 온다는 메시아, 세상을 구원한다는 것은 무엇이고,
세상은 왜 구원이 필요하게 된 것일까?
세상에 구원이 필요하게 된 것은 '(죽음에 이르는)병'이 들었기 때문이고,
그 병은 '이기'로 인해 '균형(조화)'을 상실함으로써 생기게 된 것이다.
그러므로 구원은 개인과 사회에 '균형'을 찾아주는 일이다.

메시아는 개인과 사회에 '조화와 균형을 찾아 세워주는 사람'이다.
더 구체적으로 말하자면 개인과 사회의 어둡고 소외된 곳을 일으켜 세워,
균형에 이르도록 중보 해주는 사람이다.
그래서 그는 어둡고 소외된 자들(세리와 창녀)의 친구로 서는 것이다.
세상에 불균형이 오게 된 것은 '이기'에 눈이 가려졌기 때문이다.
'이기'로 눈이 가려진 곳에 불균형은 필연必然처럼 주어진다.

지금 세상은 불균형이 확대되어가고 있다.
한쪽엔 과잉(축적)이 원인 되어 병이 들고 있으며
다른 한쪽엔 빈곤이 문제가 되어 죽어 가고 있다.

현대인 한 개체는 인류 전체에 대한 문제를 함축하여 보여준다.
현대인의 건강은 이제는 부족(영양부족)이 주主문제가 아니다.
과잉에 따른 적체가 더 큰 문제로 대두되고 있는 것이다.
이것은 세계 사회적인 것에 있어서도 똑같이 적용된다.
영양이 적체된 몸을 직시하여야 한다.
불균형이 쌓여 병을 만들고, 병이 깊어져 죽음에 이른다.
영양이 혈류를 통하여 온몸 구석구석에 전달돼야 하듯이
사랑이 체제를 통해 세계 구석구석에 잘 전달되어야 한다.

메시아는 구석지고 소외된 곳에 마음을 쓰는 사람이다.

3

메시아는 세상을 구원할 자이다.
하지만 먼저 해야 할 일이 있다. 자기 자신을 구하는 일이다.
자신을 구원하지 못하는 자가 어떻게 세상을 구원할 수 있을까?
그러므로 그는 자신에 대한 구원을 먼저 이루어야 하는 것이다.

그럼 자신에 대한 구원을 이루는 것은 무엇인가?

구원은 곧 건강이고, 건강은 또 조화와 균형을 이루는 것이니,
메시아는 다름 아닌 자신 안에 조화와 균형을 찾아 이뤄야 한다.
그는 그것(자신 안에 조화와 균형을 찾아 이루는 것)으로,
그 결과인, '균형의 건강미'를 갖춰야 하는 것이다.
그가 이룬 건강은 일반 사람들이 갖는 건강과 다르다.
그것은 자신 안의 어둡고 소외된 곳을 일으켜 이룬 '구원'으로
그것으로 영원히 목마르지 않는 '반석'의 샘물이 되는 것이며,
영원히 변하지 않는 빛(황금)으로의 "현자의 돌"이 되는 것이다.

메시아는 신부(인류)에게 '長美'를 선물로 가져오는 자이다.
'長美'는 '永生의 가지 위에 피는 젊음의 꽃'이다.

4

메시아는 서민으로 와서, 서민의 편에 서서, 서민대변자의 길을 간다.
구원이 바로 사회의 약한 곳을 일으켜 세움으로 이루는 것이기 때문이다.
메시아가 이처럼 서민으로 와서, 서민의 시대를 여는 것은
흡사 자기磁器에 있어, 백자白磁시대를 여는 것과 같다.
하늘 양식을 담는 그릇으로서, 엘리야의 청자青磁시대를 넘어가는 것이다.
그는 서민의 질그릇과 같은 존재로써,
모든 사람이 쉽고 편리하게 이용할 수 있도록
평이하고 간단한 재료(언어)와 도료(문장)로
하늘 양식(진리)을 담아 전하는 것이다.

5

메시아는 패자敗者의 왕으로 오는 사람이다.

승자와 패자는 어떤 기준에 의한 것이냐에 따라 다르게 정해진다.
자신의 마음속 이상을 높이 달아, 매일 매 순간을 전쟁으로 삼는 이도 있고
오직 부富와 성공 하나만을 과제로 하여 전쟁을 삼는 이도 있다.
매일 매 순간을 전쟁으로 삼은 이는 더불어 매일의 패배를 맛보지 않을 수 없고,
한 목표만을 전쟁으로 삼은 이는 패배 또한 매일의 것으로 맛보지 않아도 된다.

메시아는 자신 내면가치에 높은 기준을 세우고 매일 전사처럼 생활하므로,
끊임없는 실패와 그에 따른 자괴감으로 고통을 느끼지 않을 수 없게 된다.
그와 같은 매일의 패배로 인하여 그는 생각이 깊어지고 내향적이 된다.
전쟁에는 승리도 있지만, 항시 실패도 뒤따르는 법. 최후의 승리를 얻기까지,
과정의 순간에서는 승리와 패배를 반복해서 갖게 되는 것이다.

그럼 그는 그 전쟁에서 어떤 실패를 거듭하게 되었을까?
마음의 때를 닦아 순수로 연금에 이르러야 할 "현자의 돌"에게 있어
육체(검은 에너지)와의 싸움은 필연적인 것이다.
그 육체와의 싸움이야말로 매일 매 순간의 싸움이 아닐 수 없고,
또 단번의 승리로 종결할 수 없는 치열하고 지루한 싸움이다.
남성으로서 그는 당연히 색욕色慾과의 싸움을 가장 처절하게 치르게 된다.

"내 마음으로는 하나님의 법을, 肉으로는 죄의 법을 섬기노라." (로7/22~25)
고 하며 자기 안의 몸의 욕망을 두고 고통스러워했던 사도바울처럼
메시아 또한 體를 쓴 인간의 모습으로서, 세상 모든 사람들이 거칠
육체(육욕)와의 싸움을 먼저 심각하게 가지지 않을 수 없는 것이다.

그는 악마가 숨어있는 요단 강(色) 늪지에서
처절하고 눈물겨운 혈투를 벌이는 것이다.
그리하여 야곱이, 얍복강 근처에서 천사와 밤새 싸워 '승리자'가 되지만,
얻어맞은 환도 뼈 부상으로 발을 절룩이며 아침(해)을 맞는 것과 같이,
메시아는 요단 강둑의 천사(色魔)와 밤(21C를 맞기 전까지)새워 싸우고
상처투성이의 몸을 절벅이면서 새천년의 해를 맞이하는 것이다.

인생의 묘미는 패배로 인한 굴절(구불구불함)에 있다.
마치 더 굴절되어 더 가치를 발하는 소나무 모습처럼,
그리고 더 굴절되어 더 감동을 전하는 영화 이야기처럼,
메시아는 모든 극적인 경전과 설화 이야기의 주인공으로서,
수많은 우여곡절을 거치며 최후의 승리자로 오는 것이다.

6

현자의 돌 메시아가 萬王의 王으로 오는 것이지만
그것이 곧 영광의 존재로 온다는 말은 아니다.
오히려 그 반대의, 고통의 왕으로 온다는 말이다.

그것은 황금이 어떻게 탄생하는가의 원리와 같다.
황금은 바로 오랜 고통의 연단으로 나오는 것이다.

그는 신데렐라의 상대자(배우자)로 오는 사람이다.
신데렐라란 누구인가?
신데렐라는 온갖 고통 속에서도 빛(순수)을 잃지 않고,
그 빛을 자신 안에 아로새긴 고통의 대표적 여성이다.
그것은 고통 속에서 순수를 이룬 결정체, 은정銀晶이다.

메시아는 그와 똑같은 코드로, 고통 속에서 순수를 이룬 결정체,
黃金과 같은 남성이다.

7

메시아는 재능과 능력의 결핍자이다.
그 때문에 '善'을 붙들게 된 것이다.
강자에게 선과 순수의 가치는 그다지 절실한 것이 되지 않는다.
그것은 약자에게 더 절실하게 요구되는 가치의 것이 되어
그의 필연적 선택이 되게 되고, 삶의 양식이 되게 하는 것이다.
善의 가치 곧, 자비와 긍휼이 아니면, 약자는 약육강식의 경쟁 장에서
내내 큰 고통을 받아야 함은 물론 살아남는 것 자체가 어렵게 되므로
시대의 약자인 메시아는 줄곧 선에 기대고 선을 주장하다,
마침내 한 단계 더 나아간 진보의 길을 창건하게 되는 것이다.

8

메시아는 '흥부와 놀부'에서의 '흥부'이다.
착함으로 '금은보화의 박씨(연금술)'를 얻게 된 것이다.
능력이 뛰어나서도 아니며 인격이 훌륭해서도 아니다.
하물며 성실 근면하거나 부지런해서도 아니다.
오직 '착함' 하나로 하늘 적격자로 인정을 받게 된 것이다.

9

메시아는 진주와 같다.
그것은 특정 있고 구별 있는 선택된 자리에서 오는 것이 아니라,
상처 있고 아픔 있는 고통의 자리에서 오는 존재라는 것이다.

늪지대엔 버드나무가 자리를 잡고, 고산지대에선 소나무가 자리를 잡는다.
물질문명의, 이기로 얼룩진 어두운 흙탕물에선 포악한 메기와 약삭빠른 미꾸리가 생존경쟁에 유리한 것이다. 그래서 그 자리엔 그러한 물고기들이 자리 잡게 되듯이, 메시아는 그 반대의, 척박하고 메마른, 투명한 고지대에 자리를 틀게 되는 것이다.
늪지에 자리 잡은 소나무가 없고, 산꼭대기에서 번성한 버드나무가 없다.
운명을 작곡했던 베토벤이 다시 와서 '샤방샤방(트로트)'을 작곡할 리 없고,
그 음율音律이 흘러나오는 '텍'에서 여흥으로 자신의 출발을 이룰 리 없다.
메시아가 질퍽한 정치현장에 나가지 않게 될 것도 그 '토양 조건' 때문이다.

그 지닌 습성이 본원(체질)적으로, 그 토양과 다르기 때문이다.
메시아는 부귀영화나 유흥의 순간 가치를 좇는 배경과 환경에 머물지 않고,
영원의 뜻과 정신의 가치를 따르는 배경과 환경 속에 머물게 되는 것이다.
그리고 자신의 그 취향과 가치를 따라 점점 더 고지대로 옮겨가는 것이다.

10

메시아는 '떨거지'와 같은 존재이다.
세상의 떨거지는 나무의 '떨 가지'이다.
과실의 열매가, 위대하고 훌륭한 뿌리에서 나오지 않고
여리고 여린 '떨(마지막) 가지'에서 나오듯이,
하늘 뜻의 열매는 여리디여리고, 약하디약한
小子의 연륜을 통에서 맺어 나오게 되는 것이다.

그것은 흡사 '명당'이 보잘것없는 촌락 가운데 있는 것과 같다.
((풍수(학)에서 '명당'은 절대로 명산名山 가운데 있지 않다.))

그것은 '명산名山'이 바로 '나무의 뿌리'와 같은 위치이기 때문인데,
뿌리라는 존재는 위대하고 중요해도 그 자리에서 열매가 나올 수 없고,
열매는 오히려 그 뿌리의 진액과 기운이 끝나는 지점, 끝자락에서 나오는 것이니,
'명당'은 그처럼 명산 줄기가 세를 다하고 쇠락한 어느 촌 자락에서 나오는 것이다.
메시아는 이처럼 명인(성인) 줄기가 그 세를 다하고 쇠락한 어느 한 지점에서
여리고 여린 한 평민(소자)의 모습으로 오게 되는 것이다.*

메시아 2

1

땅 위 생물계에 있어, 뭇 생물들의 메시아적 존재는 누구일까?
인간이라면 마땅히 인간이 그 위치에 있는 것이리라 하겠지만
그것은 인간만이 가질 수 있는 혼자의 생각일 뿐 다른 생물들은
전혀 수긍하지도, 인정하지도 않을 내용이다
뭇 생물들의 처지에서 보면 어쩌면 인간은 없어도 상관없는 존재인지 모른다.
벌이나 나비, 꽃이나 들풀 등이 지구에 더 유익하고 필요되는 존재일 수 있다.
모든 존재는 저마다의 관점에서 메시아이다.
지구(우주)가 타원인 것처럼 모든 자리는 선 자리가 중심이고 중앙이다.
어느 한 존재만이 특별하고 위대한 것이 아니다.
모든 금속이 필요로서 존재한 것이고 황금만이 중요한 것 아니듯이,
또 실상(일상)에서는 다른 많은 금속들이 달리 유용하게 쓰이듯이,
메시아는 어느 한때에 필요로서 중심에 서게 된 존재일 뿐,
그만이 인류사에 만능과 능사는 아닌 것이다.
그렇다고 메시아 論이 의미 없다는 것은 아니다.
그의 현현은 지금 이 시대에 있어서 너무나도 중요한 일이기 때문이다.
그 역할이 바로 시대의 '절대 필요' 위치에 있기 때문이다.

2

메시아는 음악의 나타남의 역할과 같다.
음악 장르에서 그 주체(주인공)는 창작(작곡가)이 될 것이지만
뭇사람 앞에서의 현현은 '연주자'나 '가수'에 의해 이루어지게 된다.
이때 사람들은, 음악이 마지막으로 발현되어 나오는 그 최종의 창구,
각 연주자나 가수를 그 음악의 주인공(스타)으로 인식하게 되는데,
하늘 뜻도 이처럼 실은 수많은 의인의 수고와 희생의 터로 이루는 것이지만
사람들은 최종의 구현자 메시아를 주인공(슈퍼스타)으로 생각하게 되는 것이다.

하지만 재림은 과거로부터의 전통과 맥을 이어받아 이루는 것이지
홀로만이 연주자, 홀로만의 완성자가 아닌 것이다.

3

메시아는 선으로 '챔피언'이 된 사람과 같다.
그것은 선천적 기반 외에 노력과 운運의 후천적後天的 조건이 더한 결과이다.
물질 세상이 치열한 경쟁으로 부를 축적해 1인자의 자리에 이르는 것처럼
그는 '선'의, 수많은 양보와 양심의 값을 축적함으로 그 자리에 이르는 것이다.

'산티아고'(노인과 바다'에서의 노인)가 무수한 상어 떼의 공격과 도전을 받지만
뱃속의 간직한(잡은) '대어大魚의 꿈'으로, 모든 난관을 극복하고 항구에 이르는

것처럼, 메시아는 가슴속에 간직한 대어 理想으로 현실에서의 무수한 유혹과 난관을 선으로 극복하고 '무풍의 자유지대'에 안착하게 되는 것이다.

존재계에는 동화 이야기처럼 연역적 방법으로는 도저히 풀어지지 않고
선험적 답을 얻고서야 문제의 실마리가 풀어지는 마법의 영역이 있다.
진리와 도의 세계가 그러하다.
자신을 넘어서고 나서야 많은 지엽적 문제들이 스스로 풀어지게 되는 것이다.
메시아는 그렇게 '저 너머, 마법에 성'에 대한 것에 답을 풀게 된 자이다.

4

지금은 정권이 바뀌는 시간, 메시아가 출현하는 때이다.
메시아를 자처하는 교주들이 많아진 이유이다.
동네 개가 짖는 것도 이유가 있는 것이다.
세상이 이처럼 요란한데 아무 이유가 없을 것인가.
오늘 요란함은 도둑처럼 임박해 온 때를 알리는 하늘 신호이다.

그럼 그가 출현하는 때와 장소, 인물은 어떠한 것일 것인가
메시아 출현에 대한 것은 흡사 암행어사 등장의 것과 같다.
암행어사는 국가 과제(시험)를 통과하면서 자격이 주어지게 되는 것인데,
그 시험과 과제가 주어지는 '때'와 '장소'에 관한 것이라면,
하늘을 향해 마음이 열린 자(선지자)라면 누구나 알 수 있겠으나,
(그래서 때가 바로 '지금'이고, 장소가 '한국'이라는 사실이 일치한다)

그 자격자(합격자)에 대해서는 시험 출제자인 신(왕)도 알 수 없는 것은
그것은 '그날'에 뚜껑을 열어봐야 비로소 알 수 있기 때문이다.

생각해보라.
합격자, 그것도 수석합격(장원급제)자를 어느 누가 미리 알 수 있단 말인가?
그러므로 어렸을 적부터 이미 자신이 택함을 입었고 "점지 됐노라"고
하는 것들은 다 '거짓'이고 '가짜'이다.

예수조차도 이미 어려서부터 자신을 메시아로 자각한 것이 아니다.
어떤 과정과 시기를 지나며 사명자(메시아)로 자신을 자각하게 된 것이고
그 자각 전(30세)은 일반인과 같이 목수 일로 생계 일상을 이어갔던 것이다.
시험합격자(메시아)는 정해진(예정된) 것이 아니고 실현되는 것이다.
메시아는 장원급제한 정도령처럼, 자신도 모르고 임금도 다 모른 상태에서,
조상(부모)으로부터의 자질, 그날까지 자신의 노력, 그날의 운(컨디션) 등이
종합적으로 더해져서 최종 하늘이 낸 시험의 장원급제자가 되는 것이다.

5

메시아는 하늘의 사명을 띠고 오는 암행어사 '정도령'이다.
예언이 성사되는 때를 맞이하여 '정도령이고저' 하는 이들이 많지만
그것은 뭘 제대로 모르는 데서 시작된 일들은 아닐까?
'어사'라는 제도와 사상은 우리 한 민족이 가진 독특한 제도의 풍습인 것인데,
그 실상을 들여다보게 되면 결코 선망하거나 자청할만한 것이 아니게 되는 것은

'어사'라는 직업은 그 '명망'과 '명성'이 매우 높은 것이었음에도 불구하고
장원급제자들은 정작 자신이 어사로 임명되고 파견되는 것을 극도로 꺼렸으니,
그것은 암행으로 돌아다녀야 하는 그 처지와 과정이 너무 고달프고
그 행사도 위험해 차라리 지방의 관직 하나를 맡는 게 훨씬 나았기 때문이다.
또 현지 지방의 관리 실세들의 힘이 너무나도 세고 막강해,
막상 어사가 출두하여 '마패'를 들이댄다 해도 되레 가짜로 몰려
매를 맞거나 곤죽 되어 매장되는 사례가 비일비재했다는 것이다.
그러므로 끝 날에는 '육두마패六頭馬牌(진리 중의 진리)'조차 소용없게 되고
오직 실체적 실력(연금술)만이 최후의 보루로서 쓸모 있게 되는 것이다.

6

메시아는 타락 이전의 사람이다
타락 이전의 사람은 누구인가? 무엇이 다른가?
타락 이전의 사람, 아담과 해와는 타락 이후 아무것도 다른 것이 없었다.
영생으로 가는 길을 잃은 것 외에는.

메시아는 다른 존재가 아니다. 그저 보통의 인간일 뿐이다.
똑같은 것을 느끼고, 똑같은 것을 경험하며, 똑같은 것을 생각한다.
오히려 탐스러운 것을 탐하고 싶은 마음이 더 컸던 자가 아닐까?
타락 이전의 사람이 선악과에 더 강력하게 이끌림을 받았듯이,
지구 이탈(초월) 직전의 로켓이 더 강하게 중력의 작용을 받듯이,
순수를 향하던 그는 세상 탐닉에 더 강한 유혹을 받았을 것이다.

메시아가 일반인과 다른 하나는 영생으로 가는 길을 아는 것이다.
능력과 지식, 하물며 감성조차도 일반인과 특별하게 다르지 않다.

타락 이전의 인간이 영생으로 가는 길을 잃어버린 것과 같이
반대로 메시아는 영생으로 가는 길을 찾게 된 자이다.
메시아는 만왕의 왕으로 오는 자이지만 그가 곧 만능은 아니다.
이적 기사의 능력은 가능하지 않을 뿐만 아니라 필요조차 없다.
이적과 기사가 필요조건이라면 예수보다 모세가 더 적격자였을 것이다.
이적 기사는 어린이(구약)들의 '믿음'을 위해서 한때 필요했고,
21C의, 성인된 인류는 이제 '밝히 앎'을 필요로 한다.

메시아는 존재의 다음 단계의 중보자, 진화의 초석이 되는 존재이다.
이제 인류는 '이타'가 아니면 진보로 더 나아갈 수 없고 멸망뿐이다.
존재는 보다 영원하고 밝은 것(따듯(행복)한 것)을 향한다.
메시아는 '영생'과 '이타'로 인류를 하나 되게 하고
더욱 높은 단계로 생명진화를 이끄는 것이다.

7

메시아는 '서민'형 인간이지 '진골(왕족)'형 사람이 아니다.
그는 진실과 실력으로 왕이 되는 사람이지
허위와 위엄으로 왕 노릇 하는 사람이 아니다.
그는 영광과 찬양을 받고 영화를 누리는 축복 된 존재가 아니라

섬김과 봉사를 하고 인류 진화를 이끄는 희생(초석)의 존재이다.
인류 진보를 이끄는 중보자의 그에게 '榮華'는 어울리지 않는다.
인류를 지금으로 이끌고 역사의 뒤안길로 사라졌던 첫 유인원과 같이,
그는 현생 인류를 또 다른 단계로 이끌고는 유유히 사라져 갈 것이다.

그는 영화를 누리기엔 입은 상처가 너무 크거나 깊고, '중요 조건' 또한 잃어,
개체로서의 삶을 향유하기에는 기본을 갖추지 못한 '루저'와 같은 존재이다.
마치 야곱이 천사와의 싸움에 이겨 '이스라엘'이 되고 '믿음의 조상'이 되나,
과정에서 입은 부상(환도 뼈의 골절)으로 평생을 불구로 살아가야 하였듯이,
그 또한 천사(마지막 천사, 사탄, 누시엘)와의 싸움에서 이겨 '승리자'가 되나,
과정에서 입은 상처와 부상으로 자신의 '중요 부분'이 희생되게 될 것이므로,
그는 '상처뿐인 영광''뼈다귀만의 大漁(노인과 바다 중)'의 주인공으로,
비록 '승리(大漁)의 흔적'을 세세토록 남기게 되는 전설의 주인공은 되겠지만
정작 현실을 살아가는 일상의 사람으로는 '상처투성이' , '뼈다귀'만의 주인공으로
'루저'와 같은 삶을 살아가게 되는 것이다.

신적인 메시아, 전능한 메시아, 완벽한 메시아를 꿈꾸는가?
어렸을 적 아이는 자기 부모가 완벽하고 강하고 옳다고 믿는다.
철이 들면 부모가 더는 그러한 존재가 아님을 알게 된다.

성인 된 자녀는 부모가 완벽해서 믿고 따르고 존경하는 것이 아니고,
그의 사랑과 희생을 알므로 믿고 따르고 사랑하는 것이다.
이제 다시 오는 메시아를 맞이할 때는 그의 능력 아닌 희생을 알고
영광과 찬양 아닌 눈물과 회개로 서로를 사랑할 일이다.

메시아의 노래

대단한 일이었지
마법과도 같은(믿을 수도 없는)….

하지만 말이야.
내가 항해를 마치고 마을에 도착했을 때
나의 배 안에는 아무것도 남아있지 않았어.
돌아오는 긴 여정동안 수많은 상어 떼들이
내 수확물을 다 앗아갔던 거지
그러나 그래도, 남아있는 뼈다귀만으로도,
사람들이 그 실체를 알아주리라 생각했어.
하지만 그러지 않았지.
아무도 그것을 알아주지 않았지.
눈여겨봐 주지조차 않던걸
날이 이미 저물고 어둠이 밀려와
다 자기 처소로 돌아가기 바빴던 거지

하는 수 없는 일일 테지.
다음 날(세대)을 기다리는 수밖에.
하지만 이 어둠이 언제 끝이 날지
한 날 어둠이 하루살이(人生)에겐 온 생에 대한 것인걸

– 여기서 뼈다귀는 영생–내일을, 고기는 돈–현실을 의미한다.
사람들이 돈(현실)을 좇느라 내일(영생)을 보지 못한 것이다.✻

메시아의 모습

1

메시아는 '미남'의 모습으로 온다.
그는 먼저 스스로의 완성과 구원을 이뤄 오는 사람인데,
스스로의 완성과 구원은 '자신 안의 조화와 균형(건강)'을 이루는 것이고,
'자신 안의 조화와 균형(건강)'을 이루게 되면 미남(미녀)이 되는 것이므로,
스스로의 완성과 구원을 이루고 오는 메시아는 미남이 아닐 수 없다.
(단, 여기서 미美는, 젊어서 갖는 일반적 미美와 같지 않다.)

그는 순수한 모습으로 온다.
그는 능력과 재능을 선택받아 오는 것이 아니라
착함과 순수의 심성을 선택받아 오는 것이다.
선善이란 타他를 먼저 생각하는 것이므로, 선한 목자'인 그는
내성적인 성향의, 착하고 순수한 모습이 아닐 수 없다.

메시아는 거지의 모습으로 온다.
춘향전의 이도령과 같은 모습이다.
구원이란 "균형을 회복하는 일"로, 격차 난 세상에 균형을 주는 일이고,

그것은 곧, 세상의 모든 소외된 이들을 일으켜 세워주는 일이다.
그래서 그는 먼저 그 세대에 버림받은 입장이 되는 것이다.
같은 입장이 아니고 그를 헤아려 살피는 일은 가능하지 않다.
그는 세상의 일반적 학위과정을 거치지 않는다.
세상의 학위는 취업과 함께 '살아가기 위한 수단'으로 필요 돼 있다.
그는 '몸'이 필요로 하는 것보다 '영'이 필요로 하는 것을 먼저 구한다.
먹고 살아갈 문제보다 '어떻게 살 것인가'를 생각하게 되므로
취업을 위한 학위나 자격증보다 '탐구'를 우선하게 되는 것이다.

그는 인생의 중요한 시기를 '탐구'에 관심하므로 세상살이는 뒤처지기 쉽다.
세상 물정에 밝지 못할 것이고, 그것에 대한 단순한 접근과 여린 마음 등으로
살기 위해 벌이는 사회의 치열한 경쟁에서 결코 우위를 점하지 못할 것이다.

버림받은 모습으로 온다.
남성으로서 먹고사는(경제적인) 문제에 뒤처지면 여성으로부터도 외면받게 된다.
여성으로부터 외면받게 되면(이혼당하면) 가족 친지 주변으로부터도 멀어지고,
결국, 사회적으로 버림받는 처지에 놓이게 된다.

이리하여 그는 상거지의 모습이 된다.
흡사 춘향전에서의 이 도령과 같이,
비록 품속에 왕(하늘)으로부터 받은 마패(진리)가 숨겨있을지라도
그것은 때가 되어야(시간이 흘러야) 드러낼 수 있는 것이요,
그때까지는 결코 자신의 실체를 드러낼 수 없는 것이니,
그때까지는, 천하의 종년 향단이도 거들떠보지 않는,

거지 중 상거지의 과정을 가지게 되는 것이다.
그 과정에서 온갖 수난과 함께 변사또(세상)의 부조리를 낱낱이 알게 되는 것이다.

2

진리가 자연스러운 것이듯 메시아의 모습 또한 위와 같은 것임에도 불구하고
사람들은 이상하게 특이한 것, 특별한 것을 찾아다닌다.
보라! 여기 있다 저기 있다 하여도 듣지 말고 가지 말라 했음에도 말이다.

오랜 죄의 역사로 인해 억압에 갇힌 영혼들은 어떤 특이한 복장(이만희)과
모습(백마 탄 모습)에 더 혹하고, 뒷덜미에 큼지막한 혹이 하나쯤 붙어있어야
진짜 더 특별한(선택된) 존재인 줄 알고 더 두텁고 뜨거운 추종과 지지를 보내어
하나의 커다란 집단 체계를 형성하여 이루게 되는 것이다.(김일성의 북한)

인간은 사자나 공룡, 코끼리 등의 능력자(?)로부터 나온 게 아니다.
평범한 원숭이, 그중에서도 한 약자에게서 비롯하여 나온 것이다.
그저 재빠르게 도망하여 피하는 재주하나 있었던 그 존재가
바로 생물계의 메시아(만왕의 왕), 인간이 된 것이다.✻

메시아의 할 일

1

메시아가 해야 할 일은 경전 상의 비유풀이나 개념풀이가 아니다.
신흥종교의 많은 이들이 성서상의 계시록이나 예언 등의 비유풀이로,
또 유월절이나 안식일 등의 개념풀이로 '약속된 목자'임을 자처하지만
그것은 '하늘 사자(엘리야)'로서의 일이지 '하늘 아들'로의 일이 아니다.
하늘 아들(메시아)이 할 가장 주된 일은 건강(병자해결)에 관한 일이다.
건강이 바로 성서의 최종 약속, 영생(생명나무)을 찾아 이루는 일이고,
인류에게 있어 가장 긴요하게 필요 되는 일이기 때문이다.
건강한 몸과 건강한 마음으로 영위하는 행복한 삶,
그것이 온 인류가 바랄 진정한 의미의 '구원'인 것이다.
그래서 예수는 "나는 병자를 부르러 왔다"고 한 것이며,
'치유'의 일을 주 사역으로 삼아 그 행적을 남겼던 것이다.

예수가 역사적으로 남는 인물이 될 수 있었던 것은
그가 병을 고치는 특별한 능력을 갖추고 있었기 때문이다.
그렇지 못했다면 아무도 그를 기억할 수 없었을 것이다.
당대에 그만한 설교자나 철학자는 예수 외에도 수없이 많았던 것이다. – 존 도미닉 크로산

2

건강과 함께 인류에게 버금으로 중요한 것이 또 하나 있다.
바로 성sex에 관한 것이다.
인간이 성으로부터 자유 하는 것
성적 욕구 또는 그 모순(무질서)과 고통에서 벗어나는 것,
음란에서 벗어나 자유와 질서의 사랑체계를 찾아 이루는 것,
이것이 현 인류가 해결해야 할 주요 과제인 것이다.

인간은 유사 이래 오늘에 이르기까지 성에 대해 모순을 안고 있다.
"마음으로는 하늘의 법을 따르려 하지만 몸의 법이 나를 사로잡아 버리는구나!
아, 나는 피곤하고 괴로운 사람이로다(로7/22~24)!"고 탄식해야 했던 바울처럼,
인류는 자체 내의 모순된 욕구로 인해 고통스러운 현실을 마주하고 있는 것이다.

오늘날 인류는 물질적인 풍요와 더불어 시간적 여유로,
삶에서의 쾌락 욕구와 그 추구는 점차 확대되고 있지만
그에 대한 사회적 가치기준과 관념은 아직 정립돼 있지 않으므로,
그 추구는 사회 가치체계와 괴리되어 혼란 요소가 되고 있는 것이다.
그러므로 이에 대한 정립은 무엇보다 시급하게 필요한 일이 아닐 수 없다.

메시아는 이렇게 인류에게 가장 필요한 두 가지 열매,
생명나무(건강)와 선악나무(사랑)의 열매를 열음하는 농부의 일을 할 것이다.✻

예 수

1

예수를 사랑한다는 것은 그가 어떠한 모습으로 와서
어떻게 반발했고 어떻게 버림받고 죽어갔는가를 알고
그와 같은 또 다른 약자, 小子를 사랑하는 일이다. (마25/40)

많은 사람들이 예수를 믿는다, 존경한다고 하지만,
그 믿음과 존경은 다 허상, 또는 추상에 불과하다.
왜냐하면, 그들은 그를 (전혀) 모르기 때문이다.
알지도 못하면서 믿음, 사랑, 존경을 상대에 말하는 것은 다 허상이다.
그래서 그는 자신을 믿노라 하는 자들에게 이런 말을 하게 되는 것이다.
"내가 너희를 도무지 알지 못하니 불법을 행하는 자들아 내게서 떠나가라." (마7/23)

예수가 '믿노라'하는 저들을 부정하는 이유는 믿음과 신앙이 부족해서가 아니다.
그들이 '그를' , '모르기' 때문이다.
"네가 나를 모르는데, 난들 너를 알겠느냐"는 세속 유행가의 가사처럼
자기를 도무지 모르는 저들에게 "내가 너를 도무지 모른다"고 하는 것은
너무나도 당연한 답변이 되게 되는 것이다.

믿음과 존경을 말하려면 그 실상에 대해 먼저 자세히 알아야 한다.
그가 어떠한 모습이었고, 어떠한 성격과 감성을 지녔으며,
어떻게 사색했고, 약자(빈자)와 병자에게 어떻게 행했으며,
기성세력과 그 질서를 두고는 어떻게 반발했는지 알아야 하는 것이다.

사람들은 그의 업적과 능력을 보고 찬양, 추종한다.
하지만 그것(업적, 능력)들은 차라리 잊어도 좋다.
능력과 업적 등은 포장(기록)과정에서 과대포장 될 수도 있고 그 진의
또한, 잘못 전달될 수 있지만, 내면의 가치와 성격 등은 그러지 않는다.
내면의 가치와 성격 등은 사람들의 관심에서 벗어나고 제외되므로
오히려 포장(기록)과정에서 생략되거나 축소되기 쉽고,
그마저도 보는 이들의 무관심 속에 묻혀버리기에 십상인 것이다.

그러므로 그의 면모와 실상에 대한 것을 제대로 알려면
그에 대한 과신[過信]과 불신, 어느 쪽도 하지 말고 중도의 입장에 서서
그 인격이 처했던 현실과 역사적 상황에 대해 자세히 들여다보아야 한다.
그러면 미미할지라도, 스치듯 지나는 그림자의 작은 틈 속에서
간간이 발하는 그의 진정한 면모들을 엿볼 수 있다.

2

그가 가진 실상들은 대체로 아래와 같은 것들이다.

"나를 인[因]하여 실족지 않는 자는 복이 있노라." (마11/6)

이 말은 그가 어떠한 존재였던가를 잘 나타내고 있다.
자신에 대하여 실족지 않기를 바라고 당부하는 이 말은,
〈사람들이 자신에게 실족하고 있다는 사실〉과,
〈그럴 수밖에 없다는(그것이 당연하다는) 사실〉과,
〈자신도 그 사실을 잘 알고 있다는 내용〉이 담겨 있다.

그는 자신을 잘 돌아볼 줄 아는 이였다.
善이란 다름 아닌, '자기 자신을 잘 되돌아보는 것'이기 때문이다.
'선한 목자'인 그는 자신의 행동이 타인에게 害가 되는지, 아닌지,
자신의 모습이 타인에게 어떻게 비치는지, 잘 알고 있었던 것이다.
사람들에게 비치는 자신의 객관적인 모습이 (인간이란 존재 사실 자체도)
참으로 보잘것없는 것이라는 것을 겸손의 왕은 잘 알고 있었던 것이다.

그는 가진 것도, 배운 것도 없는 떠돌이 목수였다.
말이 좋아 목수이지 시쳇말로 하면 실은 '노가다' 꾼이다.
자기 점포 없는 목수는 남이 불러야만 가는 일용직 노동자인 것이다.
그러한 그에게 어느 누가 실족지 않을 수 있었을까?
더욱이 그가, "나는 하늘의 사명으로 왔다!" 말한다면 말이다.

> "여우도 굴이 있고, 공중의 새도 거처가 있되
> 오직 인자는 머리 둘 곳이 없도다." (마8/20)

그는 자신의 거처(자택)조차도 가지지 못한 자였다.
이러한 사실에서, 그가 당부(또는 경고)로써

"실족지 않는 자, 복이 있도다."라고 말한 것은 당연한 일이었다.
하지만 그 세대 사람들은 그의 당부(경고)에도 불구하고 결국 실족하여,
그를 내버리고 마는(건축자의 버림받은 돌) 결과를 만들었다.
사람들이 실족한 이유는 그가 가난하고 배우지 못한 존재였기 때문이다.

예나 지금이나 사람들이 현실에서 가지는 가장 큰 잣대는 부(富)다
더욱이 당시의 이스라엘 사회는 로마사회를 배경으로 하여,
거대한 자본경제와 그에 따르는 물질문명의 융흥隆興 등으로,
부富를 존망尊望하고 따르는 물질주의 현상이 팽배했던 것이다.
이러한 사회적 분위기 속에서 자신의 상황을 둘러본 그는,
사람들이 자신에게 실족하고 있는 현실을 직시하고,
"부자가 천국 가기는 낙타가 바늘귀를 통과하기보다 어렵다"는
말을 할 수밖에 없었던 것이다.

그가 말한 '부자'의 의미는, '심령(마음)의 가난'에 대한 것이라던가,
재산의 규모 정도를 말하는 개념 모호한 말이 아니다.
자신보다 재물이 많은 당대 모든 사람들에 대한 분명한 기준의 말이다.
富를 이루고, 그러면서도 미친 듯 富를 추구하던 당대 사람들에게 있어.
진리에의 추종 하나로 거지 청년 앞으로 나아오는 일은 그야말로,
바늘귀를 통과하는 것보다 어려운 일이 아닐 수 없었던 것이다.
그것은 오늘날에서도 마찬가지다.

사람들은 출세 전 사람의 말에는 아무런 의미(관심)도 두지 않지만
출세 후의 말에는 어떠한 의미도 갖다 붙이길 마다치 않는다.

당시 하찮은 신분으로 있었던 그의 말에 관심을 두는 사람은 없었다.
왕자의 신분으로, 당대에 수많은 설법이 성사된 석가와는 대조적이다.
석가는 왕자라는 신분으로 당대에 수많은 사람들이 추종했다.
물론 처음부터 그 신분에 의해 추종이 이루어진 것은 아니지만
결국, 그와 같은 결실은 그가 지녔던 출신이 배경 되었기 때문이다.
그래서 고대로부터 전해지던 바라문의 전통도 뒤바뀌게 하였던 것이다.
'고행(수도)의 전통'이 버려지고, '주문(설법)의 전통'이 싹트게 되었던 것이다.

'고행의 전통'이 버려지게 된 것은 나쁜 의미의 '죽음'이다.
그로 인해 인류는 '생명나무의 통로'를 아예 잃어버리게 된 것이다
고행의 전통이 버려지게 된 것과 예수의 생명이 버려지게 된 것은,
같은 맥락에서, 동양과 서양 인류사에 가장 중요한 의미를 지닌다.

하지만 역사는 시간 속에서 꼭 '제값'(몫)을 찾도록 해 준다.
지금은 그렇게 역사의 '제 몫'을 되찾는 때이다.
곧, 再臨과 秋收의 때이다.

3

예수는 私(이기)를 버리고, 자신을 완전히 公으로 세워놓은 사람이다.
그래서 이방 여인에게 물을 청하는 '실례의 일'도 서슴지 않았고
자신의 발에 향유를 부은 여인에 '칭찬'도 주저하지 않았던 것이다.
그것은 이기적 자아를 못 버린 자들에게 미심쩍고, 화나는 일이었지만

이기적 자아를 버린 그에게는 꺼릴 것 없는 자연의 일이었던 것이다.

그는 욕마저도 공적인 개념 아래에 한 사람이다.
그가 당시의 사회에서 '독사의 새끼들아(마24/33)!' 한 것은
오늘의 사회에서 '개새끼들아' 한 것과 매일반의 것이다.
당대 사회에서 '뱀'이란 가장 간악스럽고 저주스러운 상징이었던 것이다.
그는 다른 사람들처럼 자기 성질에 못 이겨 그 말을 낸 것이 아니라,
언어와 본질, 정체성에 대해 밝히 알고, 생각해서 낸 말이다.
그렇게 자신을 公에 세움으로써 세상 규범과 개념을 넘어서게 된 것이다.✻

예수와 性

예수의 성[性]에 관련된 기록은 어디에도 남아있지 않다.
외전에 있는 것은 아직 공회에서 인정 않고 있으므로
대신 성서 속에서 그가 가진 여성과의 대면으로 그 면모를 엿볼 수밖에 없다.
한 가지, 그가 30(세) 공생애로 나오기까지 그에 대한 행적이 거의 없는 것을 보면,
그 내면적 완성을 위해 부단한 수련의 과정을 가졌을 것으로 추산해 볼 수 있다.
수련과정의 주된 과제는 성[性]인 것이다.
예수가 가진 여성과의 대면 세 가지이다.

〈사마리아 여인〉

예수가 사마리아 지역을 지나갈 때였다.
제자들은 먹을 것을 구하러 다 마을로 내려가고
예수 혼자 우물가 근처에 머물러 있었다.
그때 한 사마리아 여인이 물을 길으러 왔다.
예수가 그 여인에게 다가가 "물을 좀 달라"고 하자,
여자는 흠칫 놀라 대답한다.
"유대인인 당신이 왜 내게 물을 달라 하나요?"
그것은, 당시 유대인은 사마리아인과 대면조차 하지 않았기 때문이다.
더욱이 총각이 처녀에게, 한적한 둘만의 공간에서 행한 그 행동은

일반인이 볼 때 얼굴이 화끈거리는 순간이 아닐 수 없는 것이다.
예수는 말을 돌려댄다(타인이 볼 때 그렇게 볼 수 있다는 말이다.)
"네가 만일 하나님의 선물과 또 네게 물 좀 달라 하는 이가 누구인 줄 알았다면
네가 먼저 나에게 청하였을 것이다"
이에 사마리아 여인이, "보아하니 당신에게는 아무것도 없는데,
도대체 무엇을 내게 줄 수 있단 말인가요?" 하고 되묻는다.
이에 예수는 대답한다.
"내게는 영원히 목마르지 않는 샘물이 있다."

이것은 성서의 내용을 대략大略한 것이다.
때마침 마을로 내려갔던 제자들이 돌아와 그 상황을 맞닥뜨린다.
그 아랫것(제자)들은 뭐가 난처한지 얼굴을 돌린 채 아무 말도 못 하고,
사마리아 여인은 물동이를 내버려둔 채 자리를 피하여 마을로 돌아간다.

제자들은 이때 무슨 생각들을 하게 됐을까?
사람은 자기가 가진 수준만큼 생각하게 된다고,
이기의 色을 못 버린 그들에게, 그 상황은 참으로 어색했을 것이다.
예수는 私를 넘어선 사람이었으므로, 色도 넘어서,
그 여인을 영혼의 눈으로 바라보고 대한 것이었다.
영혼이 깊고 아름다워, 하늘 이야기를 해주고 싶었던 것이다.
여기 사마리아 여인과의 대면에는 중요한 사실이 있다.
예수 자신이 메시아임을 밝히는 장면인데, 이것은 그 이전
제자들 앞에서 메시아임을 밝히지 말라고 했던 것과 대조적인 것이다.
그렇다면 예수는 왜 그와 같은 언행을 한 것이었을까?

사람은 자신과 가까운 사람에게는 자신의 깊은 속 이야기를 하고 싶어 한다.
반대로 그렇지 않은 사람에게는 그러고 싶지 않아 한다.
자칫 오해를 불러일으킬 수 있기 때문이다.
예수가 제자들에게 자신이 메시아임을 말하지 말길 바란 것은
저들이 자신을 이해하지 않고 믿지 않으리란 걸 알기 때문이다.
믿기는커녕 자칫 "미친!" 하고 오해하리란 걸 알았기 때문이다.
그 때문에 그 메시아 소리를 입 밖에 내지 말라고 한 것이지,
자신 실체 자체가 세상에 감춰지길 바란 것은 아닌 것이다.

처음 본 사마리아 여인에게 자신의 정체성을 밝힌 것은
그 여인이 깊은 내면의 소유자였기 때문이었고,
자신의 속 깊은 것을 이해할 만한 여성이었기 때문이다.
아무에게나 '하늘 이야기'를 꺼낼 수 없는 것이다.
'돼지'에게 '진주'를 줄 수 없는 것이다.

〈향유를 부은 여인〉

예수가 십자가 죽음으로 향하기 얼마 전,
마리아라는 여인이 값비싼 향유를 예수의 발에 붓는 일이 있었다.
그 여인이 눈물을 흘리며 자신의 머리털로 예수의 발을 닦는데
곁에 있던 제자들은 "왜 그따위 낭비를 하느냐"며 분憤을 낸다.
이에 대해 예수는 그 여인을 "세상 끝날까지 기념되리라" 한다.

예수의 제자들은 그와 같이 먹고 자며, 같이 지내고 있으면서도

그가 처한 외적 상황과 그가 지닌 내적 사정을 감지하지 못했다.
그들이, "그것을 팔아 가난한 사람들에게 줄 것을!" 라고 한 것은
그것이 이타를 생각해서 한, 공심公心발로의 말이 결코 아니었다.
색色을 벗어나지 못해서 하게 된 사심私心발로의 말이었다.

그들의 눈에는 한 여성이 한 남성에게 행하는 모습만 보이고
그 안에 들어있는 하늘의 기막힌 사정은 보지 못한 것이다.
오직 막달라만이 죽음을 앞둔, 예수의 사정을 통하고 있었다.
예수는 이 사건에서 자신이 그토록 강조해 오고,
사회의 모범적 규범도 되는, "가난한 이"에 대한
경계도 넘는 완전한 公的 자아의 면모를 보여주었다.

〈간음한 여인〉

예수가 성전에서 가르치실 때,
서기관들과 바리새인들이 간음한 여인을 현장에서 잡아와 예수 앞에 세운다.
그리고 묻는다. "모세의 율법에 돌로 치라 했는데 당신은 어찌할 것인가!"
돌로 치지 않으면 모세율법(관습법)에, 치면 로마법(현행법)에 저촉될 것이었다.
예수는 능청스럽게 몸을 굽혀 무언가를 땅에 끄적이며 답을 하지 않는다.
저들이 다그쳐 묻자, 지긋이 일어나며 대답한다.
"너희 중에 죄 없는 자가 먼저 돌로 치라!"
잠시 후, 어른부터 아이까지 모두 그 자리를 빠져나가고 여자만 남는다.
예수가, "여자여 너를 고소한 이들이 어디 있느냐?" 묻자,
여자 "아무도 없나이다." 대답한다.

이에 “나도 너를 정죄치 아니하리니, 가서 다시 범죄치말라” 한다.

예수는 인간이 가진 위대함과 하찮음, 거룩함과 비루함을 모두 알고 있었다.
자신도 공색空色을 이루기까지 그와 같은 유혹을 수없이 겪었기 때문이다.
인간은 (공색을 이루기까지) 죄를 범하는 동물이다.
중요한 것은 다시 일어나, 다시 범하지 않도록 부단히 노력하는 일이다.
용서 못 할 죄는 없다.
그러므로 그 죄(값)를 면하고자 ‘거짓’을 드러내는 것이야말로
가장 큰 죄가 되는 것이다.

죄를 놓고 ‘다시 일어나는 것’이 선이고, ‘피하는 것’이 악인 것이다.*

예수의 십자가

1

이제까지 예수의 십자가가 가진 진실은 왜곡되어 왔다.
인류는 십자가에 담긴 비극과 죄의 내용을 반성으로 하기보다,
그에 대한 미화로 허물을 가리고 희망을 부여잡는 쪽을 택했다.
하지만 진정한 희망은 진정한 반성 없이는 성사될 수 없는 것.
이제 십자가의 실상을 바로 알아 진정한 회개를 먼저 해야 한다.

예수는 십자가를 지기 하루 앞서 다음과 같은 기도를 한다.

> "아버지여 할 수만 있다면 이 잔을 내게서 면케 하옵소서.
> 그러나 나의 원대로 마시고, 당신 원대로 하옵소서." (마26/39)

예수는 이와 같은 기도를 세 번이나 같이 반복해서 하는데,
"땀이, 땅에 떨어지는 피 방울같이(누22/44)" 한다.

예수는 왜 그와 같은 기도를 그처럼 심각하고 처절하게 했을까?
그것도, 자신의 수[首]제자 셋만을 데리고 겟세마네 언덕에 올라
자꾸 졸기만 하는 그들을 거듭 일깨우고 독려하면서 말이다.

"내 마음이 심히 고민하여 죽겠으니, 너희는 여기 깨어있으라"

기독인들은, 그도 사람의 體를 쓴 '인간'인지라 그 기도를 했다 한다.
사람의 體? 인간? 그것이 그토록 자신들이 입에 침 마르도록 찬양하는
그를 더할 수 없이 모독하는 처사이고 이해란 걸 모른단 말인가?

그들은 예수의 제자들이 어떤 신앙으로 어떤 길을 갔는지 잘 알고 있다.
자신의 신앙 선배들이 어떤 순교의 길을 갔는지 잘 알고 있으며,
죽음에 직면하여서는 어떠한 자세로 갈무리했는지 잘 알고 있다.
사자에 찢기고 기름 가마에 튀기며 "할렐루야", "감사합니다!" 했다.
모두 아버지의 나라와 그 영광을 기원하며 갔다.
그런데 그 스승이자 구원자인 예수가 그깟 한갓 육체의 시련이 무서워
그와 같은 내용의 기도를, 그와 같은 모습으로 반복해서 했다는 말인가?

이것은 한 나라 위인들의 죽음과도 비교되는 것이다.
최영과 정몽주, 사육신으로 대표되는 성삼문, 안중근과 유관순
수많은 충신열사, 애국지사, 독립운동가, 그리고 민주열사,
그들 모두 죽음에 대한 보장, 영생이나 부활, 천당이나 낙원 약속 없어도
예수와 다를 바 없는 고통, 고문의 형刑을 달게 받으며 죽음 길을 갔다.
그런데 온 인류를 '십자가' 사명으로 구원하기 위해 왔다는 예수가,
하물며 죽으면 다시 부활하여 하늘에서 영원히 살 것을 안 예수가,
그깟 순간(육체)의 고통이 두려워 그 처절한 기도를 했단 말인가?

예수는 육체적 시련으로 그와 같은 기도를 한 것이 아니다.

그 '죽음'이 하늘의 '근본 뜻이 아닌걸' 알았기 때문이다.
하늘의 '근본 뜻'은 '포도원의 비유'에 잘 나타나 있다.

〈포도원의 비유〉

한 사람이 포도원을 만들어 농부들에게 세주고 타국에서 오래 있다가,
때가 이르매 포도원 소출 얼마를 바치게 하려고 한 종을 농부에게 보내니
농부들이 심하게 때리고 그냥 보내었거늘,
다시 다른 종을 보내니 그도 심히 때리고 능욕하고 그냥 보내었거늘,
다시 세 번째 종을 보내니 그도 상하게 하고 내어서 쫓아낸지라

포도원 주인이 가로되 "어찌할꼬?
내 사랑하는 아들을 보내리니, 저희가 혹 그를 공경하여 세를 바치리라" 하니라

농부들이 그를 보고 서로 의논하여 가로되,
"이는 상속자 아들이니, 죽이고 그 (포도원) 유업을 (아예) 우리의 것으로 만들자"
하고 (아들을) 포도원 밖에 내어 쫓아 죽였느니라.
그런즉 포도원 주인이 이 농부들을 어떻게 하겠느뇨?
와서, 그 농부들을 진멸하고, 다른 사람들에게 포도원을 주리라. (누20/9~16)

우주의 주인(신)이 그 아들을 이 땅에 보낸 것은 죽으라고 보낸 것이 아니다.
포도원(지구)을 있게 한 그 유업을 위해서이고, 그 소출所出을 위해서이다.

2

오늘의 인류는 우주로부터 받은 이 땅(포도원)에서의 소출을 얼마나 준비했는가!
우주로부터 온갖 것, 아름다움과 충만함을 받았다면
이제 그 얼마를 소출로서 되돌려야 할 것 아닌가!

자신의 영혼을 포도송이처럼 알차고 탐스러운 것으로 맺어,
하늘과 우주 앞에 내어주어야 할 것 아닌가!

이타와 태양과 사랑의 양분으로 익어진 그 탐스러운(아름다운) 영혼을
'은쟁반에 모시수건 같이 얹어' 내어드려야 할 것 아닌가!

신은 몸덩이만 살찌울 짐승에게 자신의 유업(포도원)을 내맡긴 게 아니다.

3

아들의 '죽음'은 주인(하늘)의 '근본 뜻'이 아니다.
자기 아들을 '죽으라고' 포도원에 보낸 것이 아니다.

생각해 보라.
하늘이 왜 '예비하는' 자, '곧고 평탄케'하는 자(엘리야)를 보냈단 말인가?
십자가 '가시밭길'을 위해서 '평탄케 하는 자(예비자)'가 필요했단 말인가?

성서에는 '십자가 죽음'이 '하늘 뜻'으로 비치는 대목(장면)도 물론 있다.
"다 이루었다(요19:30)." 등 뜻하고 예고하는 장면(마가8:31~33)이 있다.
하지만 그것은 오로지 '1차적인 뜻'이 아닌, '2차적인 뜻'임을 알아야 한다.
다음(재림)을 기약하기 위한 하늘 '최후의 방편(작전)'이었던 것이다.
그것은 마치 스포츠의 '비기기' 사업가의 "부도 면하기"와 같은 것이다.

스포츠에서 선수와 팀은 처음, '이기는 것'을 '근본 뜻'으로 한다.
현실 상황과 흐름이 여의치 않게 됐을 때 그 '뜻'은 변하게 된다.
"우리 목표가 힘들게 됐다. 작전을 변경하여 '비기기'로 나가자!"
"그래야 다음 8강을 기약할 수 있다!"

사업에서 회사와 창업자는 큰 '소득'과 '이윤'을 '근본 뜻'으로 한다.
하지만 현실 상황과 흐름이 여의치 않을 때 그 '뜻'은 변하게 된다.
"우리 목표가 어렵게 됐다. 투자와 확장을 중단하고, 몸(공장)을 처분하자!"
"부도부터 면하자. 그래야 다음 도약(재림)을 기대할 수 있다!"

이렇게 성서에는 항상 두 가지의 경우와 방법이 예언으로 실려 있다.
믿으면 영광(영광의 주), 불신하면 고난(고난의 주)이 되는 것이다.
(선악과를) 따먹으면 죽고, 따먹지 않으면 생명나무가 되는 것이다.

하늘이 아무리 수도 없는 약속을 하였더라도 당사자들이 책임 못 하면
모세조차 그 땅(가나안)에 들어가지 못하고 생을 마감하게 되는 것이다.
이것이 생명의 장도이고, 역사의 진실이고, 현실의 일이다.
'절대 예정'과 '절대 예언'이 가능하지 않은 이유다.

만일 예수가 십자가를 지는 것이 하늘 뜻이라고 한다면
그것은 '예정(설)'이 성립되는 것인데, 인간의 행동과 일에
절대적인 예정이 성립된다면 그것은 기계이고 로봇일 뿐이다.
신이 하나의 로봇을 위해 인간을 만들었단 말인가?

신이 인간의 일을 (놓고) '예상'할 수는 있으나 '예정'할 수는 없다.
예상하여 권고 독려할 수는 있으나, 결정(예정)하여 강제 강압할 수 없다.

(선악과) 따먹을 가능성을 예상하여 따먹지 말기를 권고 독려할 수는 있으나
예정하여 그 행동을 (따 먹는 것으로) 결정, 강압할 수는 없는 것이고
(십자가) 처형할 가능성을 예상하여 믿고 따르기를 권고 독려할 수는 있으나
예정으로 그 행동을 (불신하는 것으로) 결정하고 강제할 수는 없는 것이다.

만일 십자가를 지는 것이 하늘 뜻으로 예정된 것이라고 한다면
엘리야(주의 갈 길을 평탄케 하는 자)를 보낼 필요가 없는 것이며
가롯 유다는 오히려 뜻 공로자로서 찬양을 받아야 마땅한 것이다.

4

예수 십자가의 고통은 타 형벌과는 다른 의미를 가진다.
그것은 '버림받음'으로의 형벌이고 시련이기 때문이다.
존재에게 버림받음은 가장 뼈아픈 고통이고, 혹독한 시련이다.
예수의 이 사정은 또 다른 역사 종결자 노아에게도 잘 나타난다.

배를 만들기 위해 평생(120년)을 산꼭대기에서 보내야 했던 사정,
그 세대 누구도 알아주지 않았고, 마침내 때(홍수)가 왔어도 아무도
찾지 않았던 그 현실은 당사자에게 있어서 무엇으로도 대체될 수 없고
위안될 수 없는 형벌과도 같은 고통의 내용이었던 것이다.
과연, 일생을 누구에게도 이해(인정)받지 못하고 겨우 홀로 살아남아
고독으로 존재하게 된 자가 사라져 간 자들보다 행복하다 할 수 있을까?

실로, '100억대 재산가로 100세' , '20대 젊음으로 200세'로 질문하는
양자택일의 설문에서 사람들은 모두 전자, '100억으로 100세'를 택했다.

버림받고 홀로 남아 오래 사는 건 축복이 아니고 형벌이다.
노아, 예수는 신으로부터 버림받는 형벌을 받은 것이다. (마태26/47)
그것은 십자가의 육체적 고통보다 뼈아픈 것이다.
십자가는 단지 그 내용의 '나타난 형상'일 뿐이다.

예수, 노아의 '버림받음'의 뼈아픈 속사정은, 실은 가족으로부터 연원 됐다.
그들의 일과 사명이 가족들로부터 이해받지 못하기 시작하였던 것이다.
이러한 기막힌 사정은 하늘길을 가는 '사명자들'에게는 숙명 같은 것이었다.
그래서 예수는 "하늘 뜻대로 행하는 자가 내 어머니이고 형제다." 한 것이고,
노아 또한 자신의 자녀(함)에게 "종이 되라"며 저주를 퍼붓게 되었던 것이다.

평소 노아가 부인으로부터 존중받는 입장이었다면 자녀들 역시 아빠를 존경
하였을 것이고, 그랬더라면 설혹 아빠가 술에 취해 "벌거벗은" 상태에 놓이는
순간이 도둑처럼 찾아왔을지라도 그 하늘 같은 아빠를 함부로 판단(재단)하여

'부끄러워'하는 일만은 하지 않았을 것이다.
그 아빠는 바로 평생 굳건한 신앙으로 '구원'을 이루었던 의인이 아니던가.
하지만 눈앞에 '벗음'을 보자, 그만 홍수전에 하던 버릇이 도져버렸던 것이다.
돈을 안 벌고 산꼭대기에서 쓸데없는 짓만 하던 그 아빠를 경시하던 그 버릇이.

메시아는 실은 '벌거벗고' 오는 존재이다.
오판과 오해는 과오의 지름길이다.
자기 입장에서의 판단과 재단은 금물이다.

생명이 안타까운 것은 목숨 때문이 아니다.
인정받지 못함 때문이고, 버림받음 때문이다.*

이상세계理想世界

1

이상세계는 사랑(이타)의 세계이다.
사랑(이타)의 질서가 이루어진 세계이다.

사랑의 질서가 이루어진 세계는,
양심으로 운영되는 세계이다.
물리 세계가 법칙에 의해 이루어지듯이
내면세계도 법칙에 의해 이루어진다는 것을 아는 세계이다.

몸과 마음이 다르지 않은 것처럼 정신세계와 물질세계는 다르지 않다.
인간의 외적 활동이 물질(돈)의 유통 때문에 교류되는 것처럼
인간의 내적 활동 또한 사랑의 유통으로 윤활潤闊되는 것이다.
사회활동에서 돈이 흐르지 않으면 경제가 힘들어지듯이
인간 활동에서도 사랑이 흐르지 않으면 관계가 힘들어지게 된다.
모든 흐름에는 한 가지 법칙이 있다.
바로 이자가 더해져야 한다는 것이다.
이자가 더해지지 않으면 흐름이 약해지고 줄어들며, 중단되고, 끝이 난다.

돈이 교류되면서 이자가 붙여지듯이
사랑도 교류되면서 이자가 붙여져야 하는 것이다.
전자는 사회의 객관적 약정으로 이루어지는 것이고
후자는 양심의 주관적 약속으로 이루어지는 것이다.

양심에 주어진 약속은 사회에 놓인 약정보다 우선한 것이다.
그러므로 타인에게 무언가를 받았다면, 그 마음속에 약정된(새겨진),
'더 많은 것을 돌려주겠다.'는 양심의 약속을 잘 이행해야 한다.
그 약속 이행은 은행[bank]과의 약정이행보다 철저한 것이어야 한다.
이상 사회는 이렇게 마음(양심)의 약속으로 운영되는 사회이다.
바로 사랑(이타)의 질서가 이루어진 세계이다.

2

이상세계는 자유와 평화가 이루어진 세계이다.

자유와 평화는 서로 이질적인 요소의 것으로써,
양심의 윤활이 없으면 상존 될 수 없는 것이다.
양심 없는 자유는 필연적으로 혼란(무질서)을 불러오고
제재와 억압을 불러오며, 투쟁과 반발을 불러오는 것이다.

그러므로 이상세계는 성숙 된 양심에 의해서만 성사될 수 있다.

양심으로 운영되는 자유와 평화의 세계,
이것이 인류가 바라고 소망하는 이상세계다.

모든 인류가 더불어 춤추고 노래할 수 있는 사회
그것이 인간이 꿈꿔온 유토피아 세계이다.

3

이상세계는 '구원'이 이루어진 세계이다.

개인에 있어 구원은 '참 건강(웰빙)을 이룬 상태'이고,
세계에 있어 구원은 '참 건강을 이룬 상태의 사회'이다.

건강은, 몸 안의 소외된 곳을 일으켜 '균형'을 세움으로써 오는데,
'균형'을 세운 몸 안에는 깨끗한 혈액이 쉬지 않고 흐르게 된다.
그 혈액을 통하여 영양과 산소가 온몸에 전달되는 것이다.

구원은 세계가 창출하는 부와 경제가 사랑의 체제를 통하여
세계의 구석진 곳까지 전달됨으로써 이루어지는 것이다.*

가나안

1

그대는…….

끝이 보이지 않는 아프리카의 평원 사바나에서,

자신들이 생각하는 가나안을 찾아,

기나긴 광야를 거치고, 굽이치는 물살을 헤쳐,

초원 저편으로 이동하는 누우 떼를 본 적이 있나요?

어떤 생각이 들던가요?

그 장렬함에 입은 그만 다물어지고,

우리들의 모습과 같구나! 하고 생각 들지 않던가요?

선조들에게 '주마' 약속했다던 그 약속의 땅을 향해

정처 없이 길을 떠나던 옛 히브리 노예들은 어땠나요?

그들은 저들과 또 우리들과 다른 발걸음을 한 것일까요?

안타깝지만, 인류행로의 모델로 서 있는 저들의 행적은

광야에서 그만 독수리 밥이 되는 것으로 종결되고 말았습니다.

왜 그들은 젖과 꿀이 흐르는 땅에 들어가지 못했던가요?

요단 강을 건너지 못했기 때문이지요.

'현실'을 따졌기 때문입니다.

인류는 지금까지 미지의 그 땅을 찾아 떠돌아왔습니다.

그러나 그 나라가 대체 어디 있으며 또 어떤 곳이란 말일까요?

'청평이' 는 '가나안 역' 난간에 기대어 이 글을 전합니다.

맑은 햇빛이 물 위에 반짝일 때,
밝은 달빛이 호수에 출렁일 때,
아비의 밝음이 아들에게서 빛날 때,
작가(예술가)의 구상이 캠퍼스에 구현될 때,
이렇듯, 이상의 것이 대상에게서 나타날 때,
그때가 바로 이상세계, 곧 가나안에 맞닿아 있음입니다.

그대는 한밤에 하남에서 시작되는 올림픽 도로를 따라
잠실과 청담, 여의도, 가양대교를 거쳐 김포, 행주에 이르기까지,
다시 난지도와 하늘공원, 마포, 한남, 구리, 토평에 이르기까지,
한강을 따라 이어진 도심의 한복판을 달려본 적이 있나요?
무엇이 보이던가요?
밤하늘의 은하수가 이 아래로 내려와,
땅에 재현되어 있음을 보지 못했나요?
〈중략〉
하지만 그대는 옛 히브리 노예들과 같이
자신 안의 요단 강을 건너와야 합니다.
현실 너머로 나 있는 고통의 강을 지나와야 합니다.
그 강을 건너지 않고 그 나라에 들 수 없습니다.
역사는 지나간 일이 아니라 지금도 계속되고 있는 현재의 일이며,
미래에도 다시 넘어야 할 과제로서의 일인 것입니다.

2

알파와 오메가, 시작과 끝은 같다.
시작은 어떤 한 끝이고, 끝은 어떤 한 시작이다.
가나안은 존재가 마지막에 닿는 미지의 세계지만
이미 우주 처음부터 있었던 본원의 세계이다.
'폭발'이 바로 의지의 발현이었던 것이다.

처음 우주는 공허의 끝에서 '폭발'에 의해 빛의 새 세계로 나아갔다.
그 폭발은 오랫동안 축적된 의지의 행로 끝에 생긴 '자기부정' 현상으로,
모든 존재는 그처럼 수고로운 자신들의 노력 끝에서 폭발을 통해,
새로운 빛의 세계(진화)로 나아가는 것이다.

'폭발'은 소용돌이 속에서 전개되는 '자기 포기'와 '자기 부정' 현상이다.
'죽고자 하는 자는 사는' 성현의 말이 적용되는 순간이다.

가나안은 이처럼 자기부정을 통하여서만 도달할 수 있는 약속의 땅이다.
광야의 끝에서처럼, 앞으로 나아가는 길 끝에 요단 강이 가로누워 있고,
오직 죽고자 하는(자기부정) 자만이 그 강을 건널 수 있는 것이다.

애급을 떨치고 광야를 지나서 요단을 건너야만 갈 수 있었던 땅 가나안.
히브리 노예들은 현실(이기)을 넘어서지 못함으로 그곳에 가지 못했다.

3

지금까지 인류는 가나안의 이상세계를 향해왔다.
그 나라는 삼라만상의 모든 일과 마찬가지로 하나의 공식을 거친다.
애굽(포로) 탈출 – 육체적 자아(몸–이기의 포로)에서의 탈출
광야 노정 – 영적 자아(이타)에로의 훈련(실천) 과정
요단 강 도하 – 육체적 자아와 완전한 결별(이기의 완전한 극복)
가나안 안착 – 영적 자아로의 실체적 삶(영생)

그 나라는 애굽 – 죄악(이기)을 떨치고,
광야 노정 – 이타를 실천하는 과정 – 을 거쳐,
요단 강 – 이기의 마지막 경계, 색욕과 물욕의 강 – 을 건너야 이른다.
양심을 저버린 채 현실을 따져서는 그 나라에 이르지 못한다.
이기적인 일체의 모든 것을 남김없이 던져 버려야 한다.

4

천국은 어디, 어떤 곳일까?
젖과 꿀이 흐른다는 가나안은 하늘이 따로 준비한 신비스런 곳이었었나?
아니다. 그곳은 다른 족속이 이미 오래전부터 살고 있었던 異域國이었다.
그럼 그곳이 어떻게 천국이 될 수 있었을까?
그 가나안 시냇가에 정말 젖과 꿀이 흐르고 있었다면

그곳에 살고 있던 다른 족속들은 그것을 매일 먹고 있었던가?
그렇다면 하늘을 믿지 않았던 이들이 먼저 천국 간 것 아닌가?

가나안 족속들은 천국(가나안)에 있으면서도 천국(감사함)을 알지 못했다.

가나안은 '가난~'이다.
마음이 가난해서(無慾) 가난하게 된 (착한) 사람들이 가는 땅이다.
무욕의, 그 이기 없는 수수한 사람들이 맡은바 자기 일을
묵묵히, 열심히 잘하지만 일한 만큼의 제값을 받지 못하다가
거짓 왕(이기)의 착취가 심해지고 극에 달하자 가게 되는 곳이다.
거짓 왕(바로/변사또)을 경험하고 나서야 참 왕(정도령)을 알게 된다.
그제야 참사랑을 느끼게 되고 비로소 감사함을 갖게 되는 것이다.*

가나안의 두 갈래 길

가나안으로 가는 두 갈래 길이 있었다.
한쪽에 벤츠와 함께 말쑥한 차림의 신사가 대기하고 있었다.
고속도로를 내달려 그곳으로 갈 것이었다.
그 세대의 여자들은 모두 그 신사를 택했다.
선착순으로 몰려가 선택된 일부만이 승차했다.

한 시간을 내달릴 때….
편안함은 잊히고, 이내 지루함이 찾아왔다.
곤히 잠잘 수 있었음에 족한 여정이었다.

기다리던 가나안에 도착하고 삼 일째….
첫날의 감흥은 사라졌고, 사랑 또한 식었다.
아니, 애초부터 사랑이 아니었다.
그들의 마음은 다시 분주해졌다.
그곳이 가나안이 아니라는 생각에,
또 다른 가나안을 향할 마음뿐이었다.

한편,
다른 한 길에 수수한 차림의 청년이 낡은 트럭과 함께 서 있었다.

국도를 따라 그 나라를 향해 갈 것이었다.

그 세대 여자들은 아무도 그를 선택하지 않았다.
할 수 없이 다음 시간(세대)을 기다려 출발하게 되었다.

한 시간을 지날 때….
덜컹거리는 소음은 잊히고, 자연의 속삭임이 들려왔다.
파란 하늘과 뭉게구름, 푸른 산과 나무, 물과 바람,
붉게 물든 저녁놀 그리고 밤하늘 별이 빛날 때….
그녀의 가슴속에는 알 수 없는 사랑과 감사의 감정이 밀려왔다.
바라고 가는 이 길이 가나안이 아닐지라도 상관없을 여정이었다.

가나안에 도착하고 삼 일 후….
그녀는 가나안 역 난간에 기대어 생각에 잠겼다.
기다리던 분당행 열차가 몇 번이나 지나갔다.

그녀는, 지금의 사랑과 행복이 영원으로 이어져 있음을 느꼈다.✻

5장

기다려주지 않을래요? 그대
그리 오래진 않겠지요.
한번뿐인 생, 다 만족할 순 없다 해도
다른 그 어디에서도 위로받을 수 없음을 알기에,
좀 더 머물러주시지 않겠어요?
한갓 미물들도 향하는 그 길을
우리 미련 없이 가기로 해요
행여 그 날을 맞을 수 없다 해도

가족家族

1

가족은 무엇인가?
남(他人)인가? 남 아닌가!

가족이 남이면, 친척도 남이고, 나 외엔 다 남이다.
천상천하유아독존이다.

가족이 남 아니면, 친척도 남 아니고, 이웃 모두 남 아니다.
인류는 모두 한 조상에서 이어진 것이다.

2

자신만이 멀리 외딴집에 홀로 머물러 있다 한다.
컴컴한 방 한칸에서 온종일 자신만을 마주하고 있다.
인생이란 무엇인가?
어떻게 살아야 하며, 그 목적은 무엇인가?

골방 안에서, 깊고 어두운 시간을,
하루, 한 달, 한해를 지나 보내게 되면
마음속에는 이런 울림이 들려 나온다.
(세상에 너를 나타내야 한다. 혼자로서는 아무 의미가 없다.
네가 아무리 잘났을지라도….)

산다는 것은 자신을 나타내자는 것이다.
그래서 신도 창조행위를 시작한 것이다.
제아무리 위대한 존재라 할지라도 홀로서 무슨 의미가 있겠는가!

자신의 존재를 나타내는 행위는, 자신의 존재가치를 드러내는 행위로,
그것은 '내가 세상(他)을 향해(위해) 무언가를 할 때' 나타나는 것이다.
즉, 내가 세상에 필요한 존재로 서게 될 때 비로소 실현되는 것이다.

이것이 삶(존재)의 자리이다.

성현들의 이타주의 삶이 왜 타당한 것인지
현대인의 이기주의 삶이 왜 잘못된 것인지
골방에서 울리는 소리로 확인이 될 것이다.

존재는 타(他人)를 위해 무언가를 하게 되어 있다.
인간은 이 과정을 스스로 알고 그 뜻(이타)을 실천해야 한다.
인간이 바로 진화의 맨 끝에 있는 신의 아들들이기 때문이다.

3

존재는 '他'를 위해 존재하는데
타를 대표한 것으로 가족이 있다.
이것이 '가족'이 가진 진짜 의미이다.

'나'라는 존재는, 타의 궁극인 [세상, 우주]를 위해 무언가를 해야 하는데
세상은 너무 넓고 공허하여 하루하루의 일상에서 구체성을 띨 수가 없다.
그리하여 세상을 대표(대신)해서 가족이 있는 것이다.
따라서 가족을 위하는 것은 세계를 위하는 것이 되는 것이다.
하지만 이것은 세계 사랑과 인류 사랑의 한 방편이지, 자기 가족만의,
이기애利己愛에 지나지 않는 편협하고 국한된 사랑이 아니다.
세계 사랑의 방편으로, 가족을 사랑하는 것이고,
그렇게 이웃과 사회, 국가를 사랑하는 것이다.
의식은 저 너머 우주 무한대로 이어진 것이다.

그런데 지금의 가족사랑은 어떠한 것인가?
이웃과 사회는 뒷전이거나 잊어버렸고
자신의 이기에 다름 아닌 가족애 아니던가?

그렇다면 현금의 가족체계는 해체되어야 마땅하지 않은가?
이미 그렇게 진행되고 있고, 계속 그렇게 진행되어 갈 것이다.
이제 앞으로의 생명과학이 이루어 낼 기술(복제기술)들은

現今의 가족관과 윤리관을 송두리째 뒤바꿔 놓을 것이다.*

새 시대는 새로운 사랑의 질서를 요 한다.
새로운 사랑의 관점이 필요하다는 것이다.

나는 가정에 평화를 주러 온 것이 아니라 劍을 주러 왔다. (마10/34~35)
내 뜻대로 행하는 이가 바로 내 어머니며 형제이다. (마12/50)

여성

1

여성은 우주의 陰이 대표되어 나타난 존재로,
여성을 알면 우주의 절반을 아는 것이고,
그 반을 알면 나머지 절반도 이해할 수 있게 된다.

마음이 몸을 생각하듯이, 남성은 늘 여성을 생각한다.
그 한편, 신 앞에 여성이다.

여기서 여성은, 주체와 대상에서의 대상을 말한다.
하늘과 땅을 말함에 있어 하늘은 주체이고 땅은 대상이다.
신과 인간의 관계에서, 신은 주체이고 인간은 대상이다.
인간과 만물과의 관계에서 인간이 주체이고 만물은 대상이다.
남자와 여자의 관계에서 남자는 주체이고 여자는 대상이다.
개체(몸 마음)의 관계에서, 마음은 주체이고 몸은 대상이다.

이 주체와 대상의 관계는 구분해 놓은 위치가 그렇다는 것이고,
실상에서는 딱히 '주체다' '대상이다' 구분하여 말할 수 없다.

주체와 대상은 서로 주고받는 작용 속에서 돌게 되는데,
그 구형운동으로 각자의 위치가 시시각각 뒤바뀌게 되어
주체도 대상에, 대상도 주체 입장에 각각 서게 되는 것이다.

나라와 백성, 임금과 신하, 부모와 자식, 형과 동생, 스승과 제자, 선배와 후배 등….
무엇이든지 존재는 항상 이와 같은 구조와 형태를 띠고, 그에 따르는 작용을 한다.

여기서 여자에 대해서 말함은, 대상적 위치인 여자를 이해함으로
신에 대해 대상적 위치인 인간, 마음에 대하여 대상적 위치인 몸,
이상에 대하여 대상적 위치인 현실을 되돌아보자는 것이다.
여자란 저 너머보다 눈앞, 즉 현실을 보는 존재이다.
눈앞의 것(현실)을 치밀하게 계산할 줄 아는 존재요,
반면, 저 너머의 것(이상)은 망각하기 쉬운 존재이다.

하늘에 대해 여성격인 인간은 이처럼 다가오는 내일의 하늘 뜻 대신
오늘에 붙들리고 얽매여 다음을 보지 못하는 핸디캡을 가지고 있다.

오늘 세상은 여자가 남자를 차는(업신여기는) 세상인데, 그것은 현실(돈) 때문이다.
옛적부터 오늘에 이르기까지 여자가 남자를 차는 이유는 다 현실에 연유한 것이다.

인간이 신에 불평하는 이유도, 몸이 마음에 불복종하는 이유도,
유대민족이 모세에게 불평했던 이유도, 백성이 정부에 소동하는 이유도,
다 눈(현실)앞의 어려움 때문이다.

개인의 몸 마음에서, 남녀의 결혼생활에서, 국가의 정치현장에서,
세계와 우주에 이르는 크고 작은 문제가 모두 여기서 비롯된다.

이 문제를 어찌해야 할 것인가.
내면의 법칙은 대상에게 순종을 요구한다.
불평을 금하라는 말이 아니다.
주체가 옳고 대상이 그르다는 말 또한 아니다.
주체가 대상에게 순종을 요구하는 것은 그 최종의 시점,
마지막 통로痛路에서 복종이 필요하기 때문이다.
오늘의 불평을 하지 않을 수 없고, 걱정을 멈출 수 없다.
그러므로 불평 소리 나오고 한숨 소리 나올 수 있다.
하지만 지켜야 할 마지막 선이 있는 것이다.
가나안 입성에 앞에서 '뜻대로 하옵소서!' 하는 순간이 있어야 하는 것이다.
호랑이처럼 성질에 못 배겨 동굴을 박차고 나오면 안 되는 것이다.

신의 命을 따라 오늘의 자신을 죽여야 한다.
마음의 명령을 따라 몸의 욕구를 죽여야 한다.
남편의 뜻을 따라 여성의 욕구를 자제해야 한다.
임금의 뜻을 따라 백성의 불평을 멈춰야 한다.
오늘은 이러한 것들이 모두 뒤바뀐 세상이다.
말세이기 때문이다.

되풀이되는 역사라 했다.
되풀이면서 또 한 단계 넘어가는 역사이다.

우주의 주기는 자연적인 것으로 주워지지만,
생명의 주기는 의지에 의해서만 넘길 수 있다.

오늘을 사는 여성으로서의 인류는 두 눈을 딱 감아야 한다.
지금은 새 생명으로 향하는, '고통의 경계'를 지나는 때이기 때문이다.

2

이 세상에는 두 종류의 여자가 있다.

자신을 자신이 지닌 가치보다 낮게 평가하고 살아가는 여자가 있고,
자신이 지닌 가치보다 높은 평가를 하고 살아가는 여자가 있다.
자신을 자신이 가진 가치보다 낮게 생각하고 사는 사람은
자신 안에 가진 값진 진주(보석)가 있음에도 불구하고
지니고 있는 작은 흠을 크게 부끄러워하여 자신을 낮춰 잡은 것이다.

반면, 자신을 자신이 가진 가치보다 높게 생각하고 사는 사람은
지니고 있는 장점을 close up 하므로, 자신의 단점에 대해선 잊은 경우이다.
흰 벽에 검은 점이든, 검은 벽에 흰 점이든, 티가 되는 건 마찬가지이다.

하지만 그 날에는 그렇지 않다.
자기가 가진(이룬) 만큼의, 제값을 찾는 것이다.
천국은 좋은 진주를 구하는 장사와 같아서(마13/45),

새날의 님은 자신 안에 값진 보석을 가지고 있으면서도 천대받고,
스스로 부끄러워하고 있는 그 겸손한 여인을 들어 올려
자신의 '비단 수레' 위에 앉히시는 것이다.
찌꺼기는 갈라 풀무의 불에 던져 넣으시는 것이다. (마13/50)

3

"땅에서 맺히면 하늘에서도 맺히고, 땅에서 풀리면 하늘에서도 풀린다."고 한
'그'의 말처럼, 땅(陰)의 축약인 여성은 천국의 열쇠를 지니고 있는 존재이다.

여성 한사람이 갖는 하나의 마음이 땅 위 역사를 이끌어가고
여성 한 사람의 가슴속에서 나오는 그 결정이 인류의 행로를 결정짓게 된다.

한국과 인류의 문제는 '심순애(산파극)'라고 하는 한 여성에 의해 갈려졌다.
그녀가 취한 결정이 김중배(현실) 아닌 이수일(이상)이었다면 이 나라(인류)는
지금과 다른, 더욱 정신적인 것을 우선할 수 있는 그런 사회가 되었을 것이다.
여성은 세상을 움직이는 존재, 남성의 마음을 움직이는 존재다.
여성 한명 한명에 깃든 심정心情과 성정性情은 그처럼 중요한 것이다.

지금 백화점으로 옮기는 한 여성의 발걸음이 쇼핑문화의 판도를 바꿀 것이고
지금 클럽으로 향하는 한 여성의 발걸음이 모든 여가 문화의 판도를 바꿀 것이다.
지금 삶의 외진 현장(봉사)으로 옮기는 그 발걸음이 또 사회 환경을 바꿀 것이다.

지금 이 사회가 이 정도로 유지되고 있는 것은 그 옮긴 그 한 발걸음 때문이고,
지금 유흥 향락산업이 번성하고 있는 것 또한 그 옮긴 그 한 발걸음 때문이다.

태초 한 여성(해와)에게서 이루어진 문제가 인류 모두의 문제가 되었고
노아 가정(부인)에서 이루어진 문제가 인류의 문제로 이어지게 되었다.
지금 女心이 결정하고 실행하는 내용이 내일의 인류를 결정할 것이다.*

건강

1

연금술은 온갖 물질을 화로에 넣고 풀무질하여 금을 빗는 작업이다.
그것은 또 자신 안의 풀무질로 영원의 생명(건강)을 빗는 것이다.
종교도, 철학도, 예술도, 도덕도 궁극은 건강한 한 인격을 내자는 것이다.
순수한 영혼과 건강한 몸의 건강한 인격체를 이루자는 것이다.
그것을 위해 신은 오랜 역사를 두고 인간을 연금하여 온 것이다.

옛 님(예수)이 "천국은 마음속에 있다"고 했지만,
그 말은 "천국은 (건강한) 몸속에 있다"는 말과 같은 것이다.
마음은 몸과 일치하는 것으로서, 몸을 통해서 드러낼 수 있기 때문이다.
神도 몸의 실체를 쓴 인격을 통해서만이 자신을 보일 수 있었기 때문에
"나를 본 것은 아버지(神)를 본 것이다." 한 것이다.

육체와 정신은 한 치 오차도 없는 상호작용 속에서 작용하고 존속한다.
육의 생체적 조건이 불합리하게 되면 그것은 곧바로 정신의 활동과
상태에도 영향을 미치며, 정신의 활동과 상태가 불합리하게 되어도
그것은 그대로 육체의 활동과 상태에 영향을 미치는 것이다.

2

생사의 메커니즘을 엄밀하게 말하자면 生老病死가 아니라 生病老死이다.
노화로 인해 병이 오는 것이 아니라, 병으로 인해 노화가 오는 것이다.

영원으로의 건강을 실현하는 일은 자기 안의 소통疏通을 실현하는 일이다.
의학(육체)적으로, 막혀있던 혈류 통로를 회복, 소통시키는 일이고,
신학(정신)적으로, '그룹들과 두루 도는 화염검'으로 막혀버린
생명나무의 길을 회복 소통시키는 일이다.

인간은 태초의 원죄로 인하여 '영생 길'을 잃어버렸다.
죄(이기) 때문에 '균형으로 가는 길'을 놓쳐버린 것이다.
'균형(구원)'은 이기를 버리고 신체 깊숙한 곳에 자기 마음을 옮겨,
약하고 그늘진 곳을 일깨움으로 온다.

균형이 무너졌다는 것은 산소와 에너지 공급에 문제가 생겼다는 것이고,
생명이 더는 거주할 수 없는 곳으로 되어 간다는 것이다.
건물(몸)이 제아무리 반듯해 보이고 좋은 것을 두루 갖췄어도,
'균형'이 있지 않으면 그 모든 것은 보잘것없는 것이 되고 만다.

生病老死하는 인류는 그 병이 언제 나타나느냐 하는 문제일 뿐,
그것은 이미 예정(결정)되어 있는 시한부(불치) 환자와 같은 입장이다.
그래서 예수는 '나는 환자를 부르러 왔노라'고 한 것이다.

3

건강한 몸을 이루려면 건강한 정신이 있어야 한다.
인간은 땅의 '흙'과 하늘의 '기(생령)'로 이뤄진 것으로,
땅의 영양과 하늘의 영양이 동시에 공급되어야 한다.

인체는 혈류를 통하여 온몸에 영양을 공급받게 되는데,
정신이 건강하지 않은 혈류는 하늘의 영양 '산소(기, 생령)'를 결핍하게 된다.
혈류에 영양이 아무리 많아도 '산소'가 함양미달 된 혈류는 '독'이 된다.
산소의 결핍으로 인체의 모든 문제(병)가 발생되는 것이다.

건강한 정신은 몸(백성) 하는 소리를 잘 듣고 그 요구에 반응한다.
하지만 건강하지 못한 정신(물질 만능과 이기의 세상)은 그러하지 못한다.
세심하게 자신을 관리(통제)하지 못하고 '대충'의 편리로서 해결하려 한다.
몸(백성)이 아픈 이유(원인)를 정신(정부)이 잘 이해해야 한다.
종양(암)이 생기면 잘라버리면 되리라는 것이 머리(정부)의 생각이지만
세상만사는 그렇게 1차원적인 것으로 단순하게 해결되는 것이 아니다.
2차적, 3차적 문제, 원인과 이유를 생각해야 한다.

종양(암)은 하나의 샘과 같다.
하나의 샘은 수많은 수로가 이어져 결과로 나타난 것이다.
나타난 그 결과(우물)를 막는(자른)다고 해서 원인이 해결되는 것이 아니다.
우물(암)을 해결하려면 먼저 그것을 있게 한 원인(수로)을 알아야 한다.

4

'균형'은 모든 일에 있어 가장 중요한 요건이다.

몸(건강)은 집(주택)과 같다.
균형이 확고하면(무너지지 않으면) 그 수명은 영원하고,
균형이 무너지면 그 수명 또한 급격히 기우는 것이다.

사람이 살지 않는 폐가는 사람이 살 수 없는 흉가로 변한다.
사람이 수고로 이룬 잉여물은 다른 생물도 좋아하기 때문이다.

균형이 무너진 건물에 인간(생명)이 살 수 없게 되는 것은
그 무너진 틈으로 생명유지에 필요한 모든 파이프라인 곧,
산소(가스)와 물 등의 에너지 공급라인이 지나기 때문이다.
무너진 틀은 모든 혈맥의 지나는 통로를 막아버리게 된다.

그러므로 몸의 노화는 흡사 교통체증과 같다.
혈액의 운행이 느려져 문제가 되기 시작하는 것이다.
느려진 혈맥은 혈액의 탁성을 가져와 온갖 문제를 일으킨다.

혈액의 운행이 느려지는 이유는 '신체균형이 무너진 곳' 때문인데
그것은, 정신이 자기 몸속 그늘진 부분을 돌보지 못했기 때문이다.
몸속 어둡고 약한 곳에서 혈액의 흐름은 느려지고 약해져,

흐름의 중단과 마비를 가져오는 것이다.

하나의 실마리에서 모든 메임(체증)은 시작되고,
하나의 실마리로 모든 메임(체증)은 풀리게 된다.
이처럼 건강은, 몸의 욕구(이기)를 죽여 순수한 정신을 이루고,
순수한 정신이 다시 몸을 돌아다봄으로써 이루어지는 것이다.
변치 않는 건강(생명)은 변치 않는 정신(순수)에서 온다.*

인생의 목적

1

인생의 목적은 여행이다.

은하행성이 중력을 따라 우주공간을 흐르고
바람 구름이 기압을 따라 창공을 흐르는 것처럼
인생은 사랑과 美의 중력을 따라 흐르는 것이다.

여행은 눈으로 하는 시각(관광) 여행, 귀로 하는 청각(콘서트) 여행,
입이나 감각으로 하는 미식, 미각의 여행 등등 생활의 모든 것이다.
연극이나 영화 등으로 하는 함축된 이야기로의 여행도 있다.
이 모든 것의 공통은 '조화와 균형의 다양한 아름다움'이다.

다양하고 아름답게 조화된 그림을 보고자 시각여행을 하는 것이고,
다양하고 아름답게 조화된 음악을 듣고자 청각여행을 하는 것이고,
다양하고 아름답게 조화된 경관을 보고자 관광여행을 하는 것이고,
다양하고 아름답게 조화된 음식을 먹고자 미각여행을 하는 것이다.
인생의 목적은 아름답게 조화된 것을 찾아 떠나는 것이다.

2

인간이 우주 안의 아름답고 조화로운 것을 찾아 움직이는 것은
다시, 그 앞에 아름답고 조화로운 자신을 찾아 이루기 위함이다.

味覺 視覺 聽覺 등, 覺으로 이어지는 인간의 기능들은
그 가진 기능으로 하여금 깨달음(覺)을 얻자는 것이고,
그 깨달음(覺)으로 '아름다운 조화'에 이르자는 것이다.

신이 만들어 놓은 아름다운 세계를 여행하는 궁극목적은
신이 머물 수 있는 아름다운 자신을 이루기 위함인 것이다.*

저녁노을 지는 산이나 호수의 풍경 앞에서 문득 걸음을 멈추고 '아' 하고
감탄하는 사람은 이미 신의 일에 동참하고 있는 사람이다. – 우파니샤드

사랑

1

사랑은 이빨과 같다.
유치幼齒한 것이 다 빠져야
진정(영원)한 자기 것이 온다.
사랑은 또 음식과 같다.
음식에서의 간(소금)처럼 간(슬픔과 고통)이 잘 배어 있어야 한다.
간이 배어있지 아니한 사랑은 오래가지 못하고 부패, 변질되기 쉽다.
간이 잘 배어있는 사랑이라야 시간이 흘러도 그 맛이 변치 않고
오히려 시간으로 더 깊고 오묘한 맛을 연출할 수 있다.

2

사랑은 코드 찾기이다.
자기와 같은 사람을 만나는 것이다.
"짚신도 짝이 있다"는 속담은
'누구나 짝이 있다'는 뜻과 함께,

'아무나 짝이 아니다'는 뜻을 내포하는 것이다.
영원한 사랑은 결코 쉽게 만날 수 있는 것이 아니다.
영원의 자아실현을 먼저 해야 하기 때문이다.
영원한 사랑을 만날 수 없는 것은 자신이 변하기 때문이다.
자신 안에 영원한 가치(사랑, 진리, 생명)가 없기 때문이다.
자신 안에 '변하지 않는 뜻'을 찾아 세워야 한다.
그 뒤에 영원한 사랑이 온다.

3

자신 안에 '변하지 않는 뜻'을 찾아 세우려면
먼저 자신을 변질시키는 원인에 대해 알아야 한다.
남성에게 있어 그를 변질시키는 주체는 색[色]이고,
여성에게 있어 그를 변질시키는 주체는 돈(物質)이다.
그 두 주체가 이기의 마지막 불순물로
인간의 연금을 방해하는 마지막 장애물이다.
인류의 두 주체가 그들 앞에 놓인 장벽을 넘게 될 때
비로소 진정하고도 영원한 사랑의 세계가 전개될 것이다.

4

사랑은 시작부터 잘못돼 있었다. 처음부터 끝이 보이는 것이었다.

철저한 것으로 준비되지 못했고, 적당하게 하여 기공식이 열렸다.

영원의 탑으로 향하는 사랑은 굳건한 기둥이 필요한 건축과 같아서,
처음이 철저한 것으로 준비되지 못하면 그 완성조차 힘들거니와
차라리 아예 시작하지 않음만 못하게 돼버리고 마는 것이다.
처음이 잘못돼 있었던 것은 준비했던 사랑의 재료에 외적 조건의
이물질이 섞여 있었기 때문이다.
조금의 이물질도 백년대계, 천년대계 잇는 길에 문제가 될 텐데
온통 가득한 것이라면 그 끝은 빤히 보이는 일이 아니겠는가?
외적 조건을 멀리 두고 나서야 비로소 사랑을 위한 기초를
절반 정도 준비한 것이다.

정신적 순수 조건은 사랑의 시작을 위한 기초재료이다.
모든 것이 그렇듯 재료의 구비만으로 작업이 시행, 완료될 수 없다.
순수한 열정에 더하여 지식과 앎이 구비 되어야 한다.
사랑의 두 주체, 자신에 대해 알아야 하고, 상대에 대해 알아야 한다.
자신을 알지 못하면 상대를 알지 못하게 되고(알아도 소용없게 되고)
상대를 모르면 자신의 훌륭한 준비도 전혀 쓸모없는 것이 되고 만다.
이 앎의 준비는 어쩌면 실패(경험)를 필요로 하는 것인지도 모른다.
존재는 실패를 통하여서 진정하고도 확실한 인지에 이르기 때문이다.
혹이 아무런 실패 없이 그 인지(앎)에 이를 수 있게 되었다 하더라도
그에 대한 가치를 얼마나 오래, 깊이, 생생하게 간직할지 모른다.
그러므로 사랑에 있어 실패는 필요치 않은 것이 되진 않는다.
영원의 탑을 위해서는 검증과 실증을 통한 '앎'의 과정이 필요한 것이다.*

행복

1

행복은 모든 존재가 향하는 궁극의 발걸음이다.
그럼 행복이란 무엇이고, 어느 때 오는가?

행복이란 행복감幸福感으로, '느낌'을 통해서 온다(이루어진다).
모든 존재는 자신이 가진 느낌에 따라, 길을 가고 있는 것이다.

재물 '백만 원'으로 행복을 느끼는 사람이 있고, 그렇지 못한 사람도 있다.
그리고 그것으로 행복을 느끼는 사람도 내일엔 또 다르게 느낄 수 있다.
그러므로 행복은 결정된 무엇이 아니고, 그 순간 '어떻게 느끼느냐'는 것이다.

행복에 대한 감지感知는 고통에 대한 감지感知와 같다.
현재 느끼고 있는 고통(아픔)은 더 큰 고통 앞에서 잊힌다.
편안한 순간에는 솜털 같은 가시도 고통스러운 통증으로 느껴지지만
다급한 순간에는 대 못 같은 가시도 통증으로 느껴지지 않는 것이다.
현대인은 더 큰 행복을 좇느라 가지고 있는 행복은 잊어버리고 있다.

2

행복은 음식에 대해 미감味感을 갖는 것과 같다.
더 맛있는 미감(행복)은 더 배고픈 자(마음이 가난한 자)의 몫이다.

좋은 반찬 또한 행복(미감)을 이루는 조건의 하나가 되겠지만
그것은 매일(연속성)을 이루는 조건으로서 서지 못한다.
매일을 이루는 행복조건은 건강과 그에 따른 배고픔이다.

건강을 소유한 자에게는 걸인의 찬도 진수성찬이지만
건강을 잃은 자에게는 산해진미도 무의미한 것이다.
건강한 사람만이 미식味食을 갖게 되는 것처럼
건강한 사람만이 행복(幸福感)에 이를 수 있다.

인간은 몸과 마음이 함께 어우러진 존재로
몸 마음이 모두 건강해야 진정한 행복에 이른다.
특히 인간이 가진 영靈은 신神과 같아, 영원성을 지니고, 영원을
지향하는 것이므로 자신의 영원성에 대한 답을 지니지 않고서는,
순간마다 변질하는 육적 조건의 충족만으로는 만족에 이를 수 없다.
영원을 찾아 이뤄야 비로소 행복에 이를 수 있는 그 출발을 하게 되는 것이다.

3

행복은 순수한 영혼 위에 반사로 나타나는 영사映寫의 그림이다.
행복을, 불의의 검은 먹구름에 가려진 양심으로 결코 이룰 수 없는 것은
그것이 마음 깊은 곳에 투영되어 이루어지는 감정의 映寫이기 때문이다.
세상의 모든 좋은 여건과 배경을 다 갖추고 이루었다 하더라도,
그것이 순수하고 맑은 영혼으로 바탕을 이뤄 한 것이 아니라면
행복은 반짝이는 것으로 투영돼 나오지 않는 것이다.
마음속 얼룩을 눈물로 씻어 투명하게 한 뒤에야
행복의 무지개가 프리즘 너머 나타나 오게 된다.

행복은 슬픔 뒤의 일이다.
존재는 그렇게 눈물을 먼저 알게 되었다.
어둠 속에라야 빛이 빛나듯(그 실체를 알 수 있듯)
눈물을 머금은 뒤에야 비로소 미소를 띠게 되었다.

笑門萬福來, 웃으면 만복이 온다고 한다.
웃는 자, 웃고자 하는 자, 웃음을 찾을 일이다.
하지만 '의미'를 찾는 자, 눈물을 얻으리니,
눈물로만이 그 찾는 것, '의미'를 얻게 되기 때문이다.
웃음이 곧 행복은 아니다.
행복은 그 '의미'를 아는 만큼의 몫이다.

4

'의미'를 따르는 그 보수는 영원을 알게 되는 것이다.
영원을 아는 것과 그렇지 않은 것은 크나큰 차이가 있다.
영원을 아는 자라야 비로소 오늘을 살게 된다.

행복은 오늘 하루를 얼마나 좋은 마음으로 보내는가에 달린 것이다.
오늘을 만족하여 충일한 사람에게 내일의 아쉬움과 두려움은 없다.
오늘 좋은(옳은) 마음이면 그것으로 족한 일이다.
오늘의 괴로움은 오늘에 족하듯이.

내일 지구의 종말이 올지라도 변할 게 없다.
진실한 영(영혼)에 시간은 무의미하다.
영은 영원하여 다음 날(생) 또한 지금 이 자리에서 출발하는 것이기 때문으로,
지금 발걸음이 옳다면, 그것은 이미 보장된 행복의 내일 위에 있는 것이다.

급히 가야 할 화장실(또는 다른 목적지)을 한 바퀴 돌아서 갈 바보가 있는가?
갈 수 있다면 가장 짧은 길(진실)을 택해서 갈 일이다.
'진실'이 가장 빠르고 가까운 지름길이다.
거짓으로 얼룩져 가는 과오의 길은 다시 돌아와야 할 길이다.
다시 돌아오는 그 거리의 시간은 얼마나 걸릴지 알 수 없다.
수십, 수백, 수천 년이 더 될지 모를 시간의 거리이다.
가장 빠른 행복의 종착역은 진실로 난 도로 위에 있다.

5

행복은 우리 동네 경치 이야기와 같다.

산수 좋기로 유명한 청평(댐) 호수를 끼고 30여km 더 올라가면
최고의 명당자리로 점지 되는, 절경으로 펼쳐진 마을이 있다.
산으로 둘러싸인 채 한강이 유유히 흐르는 조용한 마을이다.
마을에서 바라본 건너편 정경은 너무도 아름다워 '그(統一)'가 과히
'왕국'을 계획할 만하다 할 것이다.
굽이굽이 이어진 완만한 능선이 참으로 아름다운 평화의 정경이다.

어렸을 적, 순진한 마음으로 강 건너편을 바라보며 항상 하는 생각은
"저쪽(편)에서 바라보는 세상은 얼마나 더 아름다울까?" 하는 거였다.
이후, 20년이 더 지난 중년이 되고서야 그 꿈을 이루게 되었는데,
강 하나 사이지만 길이 없고, 여건도 안 돼 가보지 못한 것이다.
바라보이는 세상, 전망이 아름다워 그곳이 명당의 조건이 된 것이겠지만
건너편에서 반대로 바라본 마을의 모습은 실상 별다른 모습이 아니었다.
오히려 낯설고 생소해 보여 삭막해 보이는 정경이었다 할 것이었다.

행복은 마치 유리창 너머로 보는 레스토랑과 빵집 안의 풍경과 같다.
가난하고 힘겨운 이쪽에서 바라보는 저편의 만찬 모습은
여유롭고 풍요로워 보여 참으로 부러울 만한 것이지만
막상 저 쪽(편)을 마음대로 드나들 수 있게 된 상황이 되고나면

그것들은 더는 특별한(행복한) 것이 아니게 되고,
그저 평범한 일상의 내용이 되고 마는 것이다.

행복은 이와 같다.
멀리 바라보자면 행복이 피어나는 무지개이지만 가까이 다가가면
그것은 더 이상 보이지 않고 이편과 같은 것이 되고 마는 것이다.
바쁜 일상에서 바라본 자유(휴식)시간은 너무나 꿀 같은 것이지만
진정 많은 자유(휴식)시간의 소유자, 실업자나 은퇴자가 되고 나면
그것은 더는 달콤한 것으로 느낄 수 없게 되는 것이다.

이편에서 바라보는 햇빛에 반사된 구름은 너무도 찬란하고 아름다워
과히, "구름을 타고 오시리라"의 말이 믿겨질만큼 환상적이지만
막상 접근하여 가까이 현실을 이루면 그것은 운무이고 안개일 뿐이다.

그러므로 행복은 무엇을 열망하고 동경하는 그 마음속에 있다.
지금의 내 자리(여건과 환경)가 누군가 열망하고 동경할만한 자리라는 것을
상대적으로 인지, 인식하고, 현실에 만족하고 감사하는 것이 정도正道이다.

행복은 등산과 같다.
지금은 고생(불행)뿐이고, 정상에만 목표가 있고, 그것만이 행복이라면,
그 정상에 어렵게 도착한들 무엇이 있겠는가.
곧 내려갈 채비와 가야 할 일만 남은 것이다.

행복은 정상을 향하는 한걸음, 한걸음에 이미 있는 것이다.

6

존재가 갖는 가장 궁극적인 행복조건은
참된 자기를 나타내는 것(자아실현)이고,
다시, 그것을 알아줄 상대를 만나는 것(사랑)이다.

그 때문에 神 또한 유구한 노력 끝에 자기를 나타내었고(창조-자아실현)
그 나타낸 세계를 알아주고 느껴줄 인간이 나온 후에야(사랑)
"심히 기쁘도다!"(창2/31)하고 안식을 취하게 된 것이다.

인간은 자신의 영원성을 찾아 세우지 못해 자아실현을 못 이뤘고,
불순물(이기)의 존재로서 신의 사랑의 대상으로 서지도 못했으며
그래서 자신의 가치를 알아줄 상대(사랑)의 소중함도 모르고 있다.

이 세대에서 자신을 나타낼 수 있는 것은 '돈'뿐이고,
그를 알아줄 상대 또한 '돈으로 치장할 이'뿐이다.
그것이 자아실현이고, 그것이 사랑인가?

"(돈 말고) 먼저 그 나라와 그 의를 구하라
그러면 그 모든 것을 너희에게 더하시리라. (마6/34)"

부富와 행복

1

부자와 빈자의 행복차이는 어떤 침대에서 잠을 자느냐의 차이이다.
곤히 잠잘 수 있다면 그것으로 족한 일이다.
부자와 빈자의 행복차이는 어떤 점심을 먹고 있느냐의 차이이다
맛있게 먹고, 건강한 몸을 유지한다면 그것으로 족한 일이다
맛있는 식사는 찬에서 오는 게 아니라 건강에서 온다.
아무리 많은 반찬의 식사도 습관 되면 같다.
부자와 빈자의 행복차이는 어떤 날개(옷)를 걸쳤느냐의 차이이다.
행복은 누가 더 만족 된(멋진) 모습을 나타내고 있느냐에 달린 것이다.
어떤 날개(옷)도 균형 잡힌 몸매의 만족(맵시)을 따를 수 없다.

2

오늘날의 행복은 그것을 얻기 위해 달리기를 하는 것과 같다.
부자는 단거리를, 빈자는 장거리를 경주하고 있는 것이다.
단거리를 달리는 주자일수록 숨 가쁘고 여유가 없다.

고달플지라도, 장거리 주자는 뒤돌아볼 여유는 가진다.
혹, 예정에 없던 일(넘어짐)이라도 생긴다면 어떻게 될까?
어느 쪽 주자가 포기할 확률이 높을까?

3

富란 원래 善이다. 선한 것이다.
富는 바로 이타에 대한 값, 남을 위해 일한 몫이기 때문이다.

하지만 지금의 富가 결코 善으로 인정받을 수 없는 것은,
그것이 이기가 동기되어 이루어진 것들이기 때문이고,
그로 인해 과정의 정당성도 상실, 결여됐기 때문이다.
그러므로 "다시 오시는 님"은 지금의 富를 결코 인정할 수 없는 것이다.
새로운 질서, 새로운 세계 안에서의 富를 그는 인정하고 당부할 것이다.
현재 자본주의의 富와 공산주의의 貧은 모두 이기에 의한 것들이다.
어느 쪽도 온전한 善이 될 수 없다.
이타의 질서 아래 富를 창출하라.
그 세계 안에서 富는 곧 善이다.

4

행복은 (사랑의) 관계 속에서 피어난다.

건강하게 바탕 된 뿌리와 함께 라야 꽃이 만개로 피어나듯이,
행복은 뿌리(가족, 친지, 친구, 이웃 등등)와의 건강한 동반이 필수조건이다.

현대인이 돈을 벌기 위해 애쓰는 것도 결국,
뿌리(가족, 친지, 친구, 지인 등등)와 기쁨을 같이하자는 것이다.
그러므로 사랑(관계)이 1차적(우선적)이고, 돈은 2차적(차선적)이다.
그런데 현대인은 돈 때문에 관계(가족, 친지, 친구, 지인, 이웃)를 쉽게 파기한다.
돈이 아무리 많으면 무엇하는가.
뿌리(가족, 친지, 친구, 지인)를 내치고 진정한 행복이 어디 있단 말인가.

부와 행복의 관계는 음식(맛)과 건강의 관계와 같다.
음식(맛)은 건강을 얻기 위해 찾고 좇고 추구하는 것이다.
건강을 해치면서까지 찾고 좇고 추구할 수는 없는 일이다.

건강문제는 대개 그 음식(맛)을 통제 못 해서 생겨난다.
맛을 찾고 좇고 추구함은 어느 정도 필요한 일일 것이다.
맛을 무시하고 억지로 먹는 것은 건강에도 안 좋은 일이다.
행복을 위해 돈은 찾고 좇고 추구함은 필요한 것일 것이다.
하지만 그것이 적당해야지 도를 넘은 無理로선 안 되는 것이다.

'Happiness'는 '적당하다'는 말의 어원을 가지고 있다.
적당함으로 균형을 이루는 일은 행복과 건강에 있어 선행 조건이다.*

교육教育

오늘의 교육은 부富와 부의 창출에 그 역량이 집중되어 있다.
'교육현장'에서의 '저마다의 소질 계발'은 의미가 없어졌다.
오로지 공무원 진입과 대기업 취업이 '교육현장'이 된 것이다.

하지만 세계문제는 더는 富의 부족이 문제의 주원인이 아니다.
지금의 인류 행복이 富가 모자라서 행복이 모자란 게 아니고,
기술이 미달 돼서 그 행복감마저 미달 된 것이 아니다.

오늘의 인류 문제는 인류가 처음 자각함으로 이루게 되었던,
자신(인간)에 대한 정체성을 잃어버림으로써 비롯된 것이다.
즉, '他(이타)에 대한 관념'을 잊음으로써 시작된 것이다.

행복은 핸드폰 화소가 확장되는 것으로 확장되지 않고,
티브이(화면) 인치가 확대되어는 것으로 확대되지 않는다.
순간순간의 이타적 인격(관계)에 의해서 확장되고,
순간순간의 이기적 인격(관계)에 의해서 축소(사멸)된다.

이것이 부정할 수 없는 사실일진대, 교육은 달라져야 한다.

이제 교육은 '이타적 인격'에 그 중심이 초점 두어져야 한다.
남을 생각하고 배려하는 인격양성에 역량이 집중돼야 한다.

'도덕'과 '예절'이 가장 비중 있게 다뤄져야 하고,
'양심'과 '정의'가 가장 심도 있게 다뤄져야 한다.
가족, 교우, 사제관계에서 좋은 양식을 습득하는 일이 가장 중요하다.
'봉사 활동' 등 '생활내신'이 가장 중요한 요건으로 점수 돼야 한다.
성인이 되어서도 지속해서 나타나고, 자연적으로 발현될 수 있도록,
이 모든 것이 교육의 구성 속에서 반복적으로 학습돼야 한다.

휴지를 버리는 방법, 재활용 용기를 버리는 방법, 껌을 버리는 방법
화장실을 이용하는 방법, 신발을 놓는 방법, 담배를 피우는 방법
문을 닫는 방법, 침을 뱉는 방법, 택시를 잡는 방법, 운전하는 방법
수많은 타인과의 접촉에서 대처하는 방법 등
이렇듯 순간 속에서 이루어지는 수많은 생활양식이
자연스럽게 '타인 배려'로 이어질 수 있게 돼야 한다.

타인을 의식하고 사느냐, 그렇지 않으냐
타인을 배려하고 있느냐, 그렇지 않으냐
타의 자각은 인간성립에 맨 바탕에 있는 것이다.*

현실現實 1

1

'현재를 살라' '오늘을 즐겨라' '지금에 최선을 다해라'
내일을 향해 가쁘게 달리는 현대인들에게 많이 인용되는 화두이다.
다 옳고, 좋은 말이다. 하지만 간과하고 있는 것이 하나 있다.
"지금 선하라, 오늘 의로워라. 지금 해야 할 의를 피하지 말라."

지금 취해야 할 義와 '선의 입장'을 미루거나 피하지 않아야 한다.

인생의 법칙은 간단한 것이다.
오늘이 틀리고 내일 옳은 것으로 맞춰질 수 없는 것이다.
지금(아래)이 잘못되고 내일(위)이 바로 될 수 없는 것이다.
영혼(양심)이 기울면 영원의 행복 탑이 쌓아올려질 수 없다.
지금이 틀리면 기울어진 건축물이고, 무너져 잔해만 남길 폐기물이다.

영원의 행복 탑은 善의 벽돌 하나하나로 이어진다.
오늘이 곧 내일이고, 지금이 바로 영원이다.
오늘 하루만 살더라도 양심을 붙들어야 하고,

내일 종말이 올지라도 지금 옳은 것을 피하지 않아야 한다.
내일은 걱정할 필요 없다. 존재는 윤회로 영원한 것이다.

2

이기가 난무한 사회의 현실에선 무엇이 정의이고 선인지 분간이 어렵게 된다.

한 재벌의 사치행태가 경기를 진작시키는 애국 행동으로 변론되기도 하고,
서민의 청빈한 삶의 행태에 대해서는 그 반대의 일로 둔갑되기도 한다.
어느 한 청소부가 토로했던 말은 오늘의 정의를 잘 설명하여 보여준다.
한 청소부가 차 안에서 꽁초와 휴지가 버려지는 것을 보고 지적했다가
차 안의 말끔한 신사에게서 한 꾸지람을 되받아 듣게 되었다.
"이봐, 나 같은 사람 때문에 당신 같은 사람이 밥이나 먹고 사는 줄 알아!"
청소부가 어이가 없어 말했다 "그럼 내가 당신을 치고 차를 부수면
의사와 카센터, 고물상, 제강, 제철업체 모두가 다 잘살게 되는 것인가?"

이것이 논리를 붙이자면 논리 안 될 것도 없는, 이기 된 사회의 실상이다.
무엇이 먼저인지, 닭이 먼저인지 달걀이 먼저인지 모르는 혼탁한 세상에선
강자의 소리만이 정의처럼 어필 되고 진실은 찾아볼 수 없게 되는 것이다.

어떤 것이든 논리(이유)를 붙이자면 논리(이유) 안 될 것은 아무것도 없다.
'놀부가 더 훌륭한 이상적 인간(상)이다'는 말도 그럴듯한 논리이고,
'친일이 애국이다'(친일이 나라를 살렸다는)는 말도 그럴듯한 주장이다.

노인 추방의 주장(노인을 없애는 것이 경제적 환경적으로 이익이라는)도
전혀 틀린 말은 아니다. 눈앞 현재의 것만 계산하자면 그렇다.

더욱 먼 것, 영원한 것, 공명정대한 것의 안목과 이해가 없는 한,
눈앞, 현실에서의 논리는 다 그럴싸한 명목과 허울을 만들어낸다.
그래서 코에 걸면 코걸이, 귀에 걸면 귀걸이의 법 사회가 나오는 것이다.
눈앞, 현실 논리로는 코걸이든 귀걸이든 그 실정에서 결정되는 것이다.

그러므로 '영원에 대한 것(양심, 선)'을 모르고선 '정의'는 없는 것이다.
그 옛날 춘향을 처단하려 했던 변사또의 논리 또한 법의 논리였다.
모든 일(상황)은 그렇게 각각의 입장이 있고 각각의 주장이 있다.
이 중 무엇이 우선이지 모르면 진실은 혼돈되고 오리무중 되고 만다.
놀부가 더 나은 인간상이라는 논리가 더 그럴듯한 말이 되는 것이다.

3

존재는 변화의 결과이다.
인간의 생존의 성공 이유는 환경변화에 대한 적응에 있었다.
생물학적 존재로서의 인간의 장기(장점)는 불리한 조건에 해당할 것이다.
하지만 변화에 대한 적응에서는 오히려 그것이 유리한 조건이 된 것이다.
추위에 강했던 존재는 빙하기가 지난 어느 순간에 생존이 약화 될 수 있다.
밀물에 취해 있다간 어느 순간 빠져든 썰물에 나뒹구는 소라껍데기가 될 수 있다.
어제의 선이 오늘 악으로, 오늘의 악이 내일 선으로 언제 뒤바뀌어질지 모른다.

오늘 清溪川 성공에, 내일 대운하도 옳을 것이라고 과신해서는 안 된다.
오늘(현실)에 안주하지 말고 마음을 밝히고 기름을 준비해야 한다.

오늘날 정부는 경제가 좋아지면 국민의 생활이 좋아지고
민생의 모든 문제가 해결되리라고 믿는다. 과연 그럴까?
개인과 사회의 유기적 이해가 여기에서도 필요하다.
개체를 잘 이해해야 사회문제도 바르게 이해할 수 있는 것이다.

한 개체에 있어 그에 대한 충분한 영양공급과 공급의 확대는
개체 내의 조직과 기관, 세포에 전체적으로 좋은 영향을 가져다준다.
하지만 모든 것이 그렇듯, 어제의 선이 다 오늘의 선으로 연결되지 않아,
충분하게 공급되던 영양과 산소는 어느 순간, 어느 단계에서 고지혈과
동맥경화 등 온갖 문제들을 불러일으켜 각 인체기관, 조직, 말단 세포에
오히려 영양부족과 결핍이라는 모순된 현상을 가져다주게 된다.
머리(뇌), 눈, 폐, 심장 등 인체 기관의 주요 질병은 다 그렇게
혈액순환장애의 원인으로 발병되는 것이다.

영양이 충족되면 만사가 해결되리라 하는 것이 물질주의의 생각이지만,
그것은 머리(사회지도층)의 생각이고 몸 깊은 곳(서민)에서의 실상은 그와 다르다.
머리로 생각하는 것과 몸이 체험하는 것은 다르다.
머리가 반드시 옳은 것이 아니다. 오히려 몸이 옳을 때가 더 많다.
머리(정부)의 생각으로는, 영양만 공급하면 만사가 해결되리라 생각하지만
불균형 체계에서는 그 공급이 결코 인체 지류 말단까지 이르지 못하고
오히려 공급(혈액순환)장애 현상을 일으키게 되는 것이다.

한 국가(개체)가 건강한 사회를 이루려면 건강한 이상(방향)이 있어야 한다.
그리고 건전한 습관과 생활이 이어져야 하는 것이다.
인체 각 세포는 혈류를 통하여서 영양과 함께 '산소'를 공급받는데
건강하고 건전한 정신(理想)이 없으면 구석 세포(서민)는 혈류,
모세혈관을 통해서 충분한 '산소'를 공급받을 수 없게 된다.
'산소'가 함량 미달 된 혈류는 많은 영양에도 불구하고 '독'이 된다.

인체가 성장이 마무리된 다음에는 근력 운동보다는 신체 각 기관의
조화와 균형을 도모하는 요가와 스트레칭이 바람직한 운동법이 되듯이,
21C 선진사회는 성장의 근력 정책보다는 복지와 분배의 균형 정책이
바람직한 정책법이 되는 것이다.
현대는 세포(서민)의 소리와 요구에 얼마나 잘 듣고 응하는가가 중요하다.
지금까지 자본주의 경쟁체제가 완전 공정경쟁의 체제가 아니었고,
편법, 특혜와 그에 따른 희생, 불공정 또한 분명히 있었던 것이므로
분배의 복지정책이 결코 불합리한 것이 아닌 것이다.

서민(말단 세포)이 잘살게 되는 일은 결국 지도층(머리)과 중산층(근육)도
잘 살 수 있게 되는 일이다. 결코, 손해 보는 일이 아니다.
눈앞 현실만이 아닌 먼 미래를 보고 나아갈 일이다.*

현실 2

1

산속에 있으면 산에 대해 파악하기 힘들고 산에서 멀리 나와서야
크기와 형세, 주변과의 관계에 대해 제대로 파악할 수 있게 된다.
사회, 시대적인 일에 대해서도 마찬가지이다.
현실을 사는 실체들로서는 오히려 그 실상에 대해 모르기에 십상이고,
신화나 설화 이야기같이 시간, 공간적으로 멀리 지나 교훈이 된 다음에야
그 실상들에 대해 더 명료한 것으로 이해할 수 있게 되는 것이다.
그러므로 현실 인이지만 현실을 넘어서는 마음으로 오늘을 보려는 것이다.

오늘의 현실은 물질주의가 극을 이룬 물질(황금) 만능의 사회이다.
오늘의 사회에서 큰 집과 차는 자랑거리 중 자랑거리가 되고 있다.
멀리서 본 이 세대의 이 모습은 흡사 어린아이의 '소꿉놀이'와 같다.
인생의 어렸을 적, 어린아이였을 때엔 그것이 인생 전부인 양
장난감 하나하나, 인형 하나하나에 울며불며 집착하지만
성인이 된 다음에는 더는 그와 같은 일들을 하지 않게 된다.
그와 같은 일들이 부질없고 하릴없는 일들임을 알게 된 때문이다.

나는 노인들의 세계에서 더 좋은 지팡이가 자랑이 되는 것을 보았고,
환자들의 세계에서 더 좋은 목발과 휠체어가 자랑이 되는 것을 보았다.
그것이 현실 속에서 이루어지는 자연스러운 한 면모임을 모르지 않는다.
하지만 정정한 자에게 있어 좋은 지팡이가 무슨 자랑이 될 것이며,
건강한 자에게 있어 좋은 목발과 휠체어가 무슨 자랑이 될 것인가?
그것을 안다면, 분수가 아닌 자랑은 삼가게 돼야지 않겠는가?
그것을 안다면, 큰 집과 차의 자랑은 삼가야 하지 않을까?
큰 차일수록 도로에서의 양보(배려) 폭은 작은 것이다.
작은 공간일수록 찬滿 행복 가까이에 있는 것이다.

큰 차와 집을 자랑하려면 먼저 이타적 질서를 이루고 할 것이다.
그 질서 아래 그 모든 것들은 유치하거나 추한 것이 되지 않는다.
그렇다고, 어린아이가 그들의 일(소꿉놀이)에 무관심할 수 없고,
현실 인이 그들의 일(물질추구)에 소홀할 수는 없는 노릇이다.
오히려 그것이 세상 전부인 양 몰두해야 할 일일 것이다.
단지 그 너머 가치에 대해 잊지 않아야 한다는 것이다.
이타적 가치를 먼저 세우고 모든 다른 가치를 추구하고 몰두할 일이다.

2

악마의 정체는 거짓(거짓말)이고, 주님의 정체는 진실(진리)이다.
그럼 지금 이 세대는 어떨까? 어떤 정체성을 가지고 있을까?

이 세대는 진실을 말하여 오히려 죄가 되는 세상이 되었다.
오늘에 있어 많은 조직원(국세청 직원, 국토개발연구원, 공무원, 교사 등)들이 진실을 고한 죄로 파면됐다.
진실이 힘센 자에 부딪히면 '명예훼손', '사생활 보호법 저촉' 등이 되어버리고,
약한 자의 코(귀)에 걸려버리면 범죄와 비리가 되고 만다.
지금은 이런 사회이다.
이것으로 이 시대 정신계의 춘향 길은정이 죽었다.
일기에 사심 없이 적은 진실의 내용이 상대 명예를 훼손했다는 것이다.
이 시대 판사는 그것이 사실이냐 아니냐는 상관하지도 않았다.
작성된 원고의 소장을 바탕으로 명예훼손 여부만 참조했을 뿐이다.
본질을 알지 못하고 어떻게 진실과 정의의 결과가 나올 수 있을까
그렇게 이 시대 聖 춘향 길은정은 2년여의 세월 동안 옥중보다 더 큰
심적 부담의 소를 치르며 자신의 병을 키우게 된 것이다.
이것은 주변 누구나 알 수 있는 일반적 사실이지만
이미 지나간 죽음에 대해 책임질 사람은 없다.

진실을 매장하고 보호해야 할 사생활이란 게 도대체 무엇인가?
'그 나라'에서, 보호해야 할 사생활이란 아무것도 없다.
보호해야 할 사생활이란, 겉과 속이 다르고, 어제와 오늘이 다르고,
나와 네가 다른 이중인격, 이중생활, 이중사회에서 나온 것이다.
추잡하고 간악한 악마(이기)의 사회에서 나온 것이다.
겉과 속이 하나고, 어제와 오늘이 하나고, 나와 네가 하나인
'그 나라'에서는 그와 같은 것들은 존재하지 않는다.
추한 것도 없으며, 더불어 그것을 이용하는 일 또한 존재하지 않는다.

그저 진실 하나로 형통하는 것이다.

'그 나라'는 양심으로 이루어지는 사회이다.
양심이 곧 종교이고, 신앙이며, 法인 사회이다.

3

이 세대는 모든 것이 뒤바뀐 세대이다.
정신(정신적 가치)보다 물질(물질적 가치)을 우선하고
이타利他보다 이기利己를 우선하고
주는 것보다 받는 것을 우선한다.

받고서 주는 것은 동물 세계에서 이루어지는 일들이다.
인간은 줌으로써 받는 우주와 자연의 이치를 배웠다.
그와 같은 방식으로 신은 인간에게 모든 것을 주었다.
인간이 그를 닮아 그 인격을 이루는 것이 존재의 목적이다.

먼저 주라는 말은 받는 것, 채우는 것, 누리는 것을 소홀히 하라는 말이 아니다.
오히려 그 모든 것들을 더 충만하게 이루기 위해 단계를 거치라는 말이다.
그 모든 것이 필요한 줄은 이미 하늘 아버지가 아신다. (누가12/30)
인간은 먼저 '그 나라와 그 의(이타)'를 구현해야 하는 것이다.

먼저 주는 일(이타)이란 동물의 세계에선 있을 수 없는 일이다.

그것은 신의 자녀 된 인간만이 그를 닮아난 증표로써 갖게 된 것이다.
이기냐? 이타냐! 그것에 따라 인간은 다시 인간과 동물로 갈라진다.
선과 악으로 갈라진다.

신의 자식이냐? 동물의 자식이냐!
정신에 속했느냐? 물질에 속했느냐!

정신은 이타를 주장하고, 몸은 이기를 주장한다.

4

미안한 말이지만,
악마(이기)가 임금 되고, 그 악마에 의해 다스려(움직여)지는 이 세계는
모든 것이 뒤바뀌어진 세상이다.
필수적인 것이 부수적인 것이 되어 천한 대접을 받게 되었고,
부수적인 것이 필수적인 것이 되어 귀한 대접을 받게 되었다.
이기에 의해 私가 만연하게 된 세상은 공무(원)를 필요하게 되었고
이기에 의해 범죄가 만연하게 된 세상은 경찰을 필요로 하게 되었으며
이기에 의해 모략과 분쟁이 만연하게 된 세상은 판, 검, 변호사를
필요로 하게 되었다.
이기에 의한 분쟁은 국제적으로 확대되어 軍을 필요하게 되었고,
이기에 의해 지혜를 잃고 몸 마음의 균형을 상실하게 된 세상은,
필연적으로, 병자病者를 많이 배출하는 세상이 되어,

수많은 병, 의원을 필요로 하게 되었다.
위와 같은 일들은 물론 악이 없는 사회에서도 없을 수 없는,
필요한 내용의 일들이지만 지금과 같은 규모와 비중이 아닌,
극히 적은 규모와 비중으로도 불편함이 없이 운영이 가능한
삶의 보조된 일들인 것이다.

이상사회에서는 생산, 건설현장에서의 일들이 더 요긴하고 필요한 일이다.
지금 사회에서 천대받고 홀대받는 노동현장에서의 그 일들이야말로
더욱 필요로서 요구되는 일들인 것이다.
중요도는 필요도에서 온다.
사회 필요성과 필요도에 의해서 그 중요성이 결정 된 것이다.

이상사회에서는 지금과 같은 소모적 요소들이 불필요로 사라지게 되므로
바쁘지 않아도 모두가 여유로운 간편한 환경 속에 살게 되는 것이다.

5

한국인은 한국인이 가진 기후 풍토적 조건을 영향으로 하여
다소 복합적인 기질을 가지게 되었다.
그래서 개인적 자유주의 사회도 꽃피웠지만, 획일적 공산주의 사회도 열었다.
또한, 동서양의 모든 정신문명(종교, 철학)도 꽃피웠고
현대의 모든 물질문명도 같이 꽃피우고 있는 것이다.
문제는 오늘 물질문명의 그 심지가 치근라는 것이다.

오늘 물질적 부가가치를 생산해내고 있는 기업현장은 이기의 생산현장과 같다.
오늘 산업을 대표하는 자동차업체와 휴대폰업체에 가보면 그곳엔
자신들 제품과 상품이 아니면 그 회사의 출입과 이용이 불가하게끔 해 놨다.
곧 현대, 기아 車 회사에서는 타사 자동차가 출입할 수 없도록 해놓았고,
SK, LG 유플러스 회사 내에는 KT 휴대폰이 터지지 않도록 해놓은 것이다.
그러한 임의의 조치는 방문자의 방문이 자신들 회사의 업무를 위한 것이든
그렇지 않은 것이든 상관없이, 관행으로 그러는 것이다.
텃새와 알력으로 그러는 것이다.
이기의 극을 생산하는 첨단 이기의 현장의 모습이 아닐 수 없다.

자사제품이 아니라는 것만으로 출입통제, 이용 불가장치를 취해 놓은 건,
자국제품의 신발이 아니라는 것으로 공항출입을 허락하지 않는 것과 같다.

또 하나의 질서를 보여주고 있는 스포츠에서의 스포츠맨십은 어떠한가?
이 민족은 지난 월드컵시즌 TV 중계에서 해설자가 소견대로 했던 해설을
그것이 국가이익에 반한 것이었다 라는 이유로 방송에서 매장했다.
스포츠란 무엇인가? 서로의 우의와 화합을 도모하잔 것 아닌가?
어떻게든(반칙이든 아니든) 상대를 이기는 것이 善이고 목표라면,
어떻게 이 사회에서 정의를 말하고, 의를 찾을 수 있단 말인가!

그러므로 이날에 '신의 선물'을 품고 오는 새 시대의 님은
반칙으로 얻은 지금의 승리를 인정하지 않으신다.
지금의 부와 명예를 善으로 인정하지 않으신다.
그래서 앞선 자가 뒤서게 하고, 뒤 선 자를 앞서게 하는 것이다.

지금의 지닌 부와 명예를 善으로 인정받으려면
물속 깊이 머리를 처박고 몸으로 떠올라야 한다.
모든 것을 버리고 겸손으로 다시 서야 하는 것이다.

이제 가던 걸음을 멈추고 자신의 가는 길을 돌아다보아야 한다.
역사 속 타국을 침략하지 않았던 그 본래의 심성을 되찾아야 한다.
흰옷 입은 동방예의지국東方禮義之國의 면모를 다시 찾아야 한다.
한때 미국을 본으로 하여 그 문명을 따랐지만, 그것은 다 된 命의 것이고
이제 우리의 것을 본本으로 하여 세계를 선도하고 미국을 리드해야 한다.
신은 또 하나의 미국을 만들고자 이 민족을 역경 속에 걷게 한 게 아니다.
이 나라에 간직된 신의 뜻을 찾아 완성해야 한다.
이 나라는 '신이 남몰래 사랑한' 나라이다.

유구한 역사 속에서 수천 번의 외세침략을 겪고,
일제 점령기를 있게 한 것은 이유가 있어서이다.
이 민족에 재능과 힘, 능력이 없어서가 아니다.
그 안에 신의 숨은 뜻이 간직돼 있기 때문이다.
바로 '눈물의 아리랑'이 님이 넘어오는 고개이기 때문이다.
이제 '오랜 고독의 방문이 열리고 부름을 맞는 순간'이다.
'설렘과 불안, 어둠과 희망이 교차 되는 순간'이다.
우리가 이기를 버리고 이타의 뜻(홍익인간)을 되찾게 되면,
우리는 타고르가 노래한 그 언약의 주인공이 될 것이다.*

동방東方의 등불

일찍이 아시아의 황금 시기에 빛나던 등불의 하나인 코리아
그 등불 다시 한 번 켜지는 날에 너는 동방의 밝은 빛이 되리라
마음에 두려움이 없고 머리는 높이 쳐들 린 곳
지식은 자유롭고 좁다란 담벼락으로 세계가 조각조각 갈라지지 않은 곳
진실의 깊은 속에서 말씀이 솟아나는 곳
끊임없는 노력이 완성을 향해 팔을 벌리는 곳
지성의 맑은 흐름이 굳어진 습관의 모래벌판에 길 잃지 않은 곳
무한히 퍼져 나가는 생각과 행동으로 우리들의 마음이 인도되는 곳
그러한 자유의 천국으로 나의 마음의 조국 코리아여 깨어나소서.*

노무현

1

하늘의 뜻을 누구도 다 알 수 없는 것은,
'깨어 있어라' '조건을 보지 마라'하고 이르는 이도
전혀 예상치 못한 일들이 도둑처럼 임하기 때문이다.
노무현은 그런 사람이다.
도저히 가망 없을 듯한 한국의 정치판에 도둑처럼 나타난 사람이다.
한국의 정치풍토, 적당히 타협하고 인맥과 금맥으로 짜여 연결된,
습하고 진득한 진흙의 저지대에 어떻게 저런 인자人子,
메마르고 척박한 고산지대의 종자가 떨어졌는지 모른다.
떨어졌을 뿐만 아니라 생존했고, 대통령으로 섰으니
어찌 하늘의 뜻을 다 알 수 있을 것인가!

하지만 또 알 수 있을 듯도 한 것은,
이제는 권력이 제일인 시대가 아니고 돈이 제일인 시대가 된 것이다.
그 돈에 의해 기업도, 권력도, 언론도, 여타의 마음도 움직이게 됐다.

이 시대는 흡사 물질 전염병이 창궐한 시대이다.

이것은 외과의사(정치가)도 어쩔 수 없는,
내과의사(종교가), 또는 세균학자(철학가)의 몫이 된 것이다.
노 대통령은, 대통령도 돈(물질주의)을 어쩔 수 없다는 것을
일면 보이기 위해 온 것은 아닐까?
물론, 일면이다.

2

바람과 구름이 기압이 낮은 곳을 따라 움직이어 지구의 질서를 이루듯,
건강은 마음이 몸의 약한 부분에 자신을 움직임으로 이뤄지는 것이다.

가족의 평화(행복)는 아픈 손가락(가족)을 감쌈으로써 이루어지는 것이고,
국가의 평화 또한 소외된 계층을 적극적으로 돌봄으로서 성사되는 것이다.
한 나라의 대통이라면 마땅히 사회 빈자해결을 주 안건으로 삼아야 한다.

강자만이 살아남는 자연계의 끝에서 인간이 나온 것은,
자연계가 이미 약육강식의 세계가 아니라는 의미이다.
자연계의 끝에 선 그 靈長, 인간이 지금 약자 곧,
사라져 가는 수많은 동식물을 돌보려 하지 않는가!
한국 또한 유엔의 도움으로 구함 받지 않았는가!

자연 세계의 메커니즘은 약육강식이 아니다.
자연의 근본 메커니즘은 더 큰 것으로 이동하는 한 질서이다.

그래서 피조물이 고대하는 바는 진정한(이타적) 인간,
하늘의 아들들이 나타나는 것이라고 한 것이다. (로8/19)

3

지금까지 조·중·동으로 대표되는 언론은 대통령과 날을 세운 채,
첨예하게 대립하여 왔다.
목구멍이 포도청(제일의 권력)이라고, 광고로 먹고사는 처지인지라
그 주체자인 기득세력(재벌기업)의 입장을 외면할 수 없었고,
대통령은 복지정책을 우선해야 했으므로 대립이 불가피했던 것이다.
해결의 열쇠는 하나뿐이다. 현실의 고개를 넘는 것이다.
아무리 목구멍이 포도청일지라도, 마지막에선 대의를 따라야 한다.
그래야 새 지경의 세계로 나갈 수 있는 것이다.
노 대통령은 현실을 넘어선 것을 보여주었다.
모든 정치인이 피하려 했던 (한미) FTA 안건을, 약자를 대변했던
그가 열었다는 것은, 그가 정치적 이해타산이나 인기영합 등의
개인적 세속적 영욕에 머물러 있지 않다는 것을 보여준 것이다.
그래서 그는 그토록 자신을 외면했던 언론들로부터 인정을 받게 된 것이다.
'하늘이 낸 대통령''복 받은 나라''레임덕 극복한 성공한 대통령'
이것이 그가 그때 적(언론)으로부터 받은 인증서이다.
적으로부터 받은 인증은 더 확실한(결정적) 인증이 된다.
그리고 그 적을 인정한 자(언론), 그 또한 진정한 승자가 된다.

뜻은 이루어지지 않음으로 그 심지(뿌리)를 더 튼튼하게 한다.
대통령과 언론, 진보와 보수, 양자의 민주적 쟁론은 정치의 지평을 넓혔다.
이제 마무리가 중요하다.
과정의 잘잘못(옳고 그름)은 마무리로 인해 갈음된다.
마지막은 대의로 마감돼야 한다.

승리는 적을 쓰러뜨림으로 얻어지는 게 아니라
한 단계 나아감(진보함)으로 얻는 것이다.

4

정치(정치성향)는 사랑과 같아서,
그 안에 콩깍지가 쓰이면 누가 뭐라 하든, 들어오지 않게 된다.
그러므로 큰 것으로 주변을 둘러봐야 한다.
시대가 어떤 시대냐 하는 것이다.
선 악, 옳고 그름은 때와 상황에 따라서 달라지는 것이다.

똥이 도심에 버려지면 오물이 되지만
논밭에 버려지면 선물(거름)이 되고,
그것도, 때(봄, 여름)가 지나면 害가 되는 것이다.

때에 소용(필요)되는 것이 善이다.
'지금''여기'가 아니면 '저기'와 '다음'엔 아무 소용없다.

지나간 다음에 부모 효도는 아무 소용없다.
지나간 다음에 예수 찬양은 아무 소용없다.

한가지, 소용되는 것이 있다면 그것은,
그 과거를 교훈 삼아 오늘을 지신至新하는 것이다.
현실에 최선을 다하고 곁에 있는 사람에게 선을 베풀자는 것이다.
양심에 따라 행하는 것이 바로 신에게 행하는 것이고,
곁에 있는 소자에게 행하는 것이 바로 '그 님'에게 행하는 것이다.
대통령이 자신의 권위를 낮춘 것은 단점이지만
이제 오는 대중(서민)의 시대에서는 장점이 된다.
大統領의 시대가 가고 大通領의 시대가 된 것이고,
권위보다 진실(솔직)이 필요해진 시대가 된 것이다.

말세의 때는 모든 것이 교차 되는 시대이므로
선악, 의 불의에 대한 해석을 자꾸 재해석해야 한다.
어제까지는 반공이 옳았을지라도 오늘은 다르다.
이제는 화합이 더 필요하게 된 것이다.

어제까지는 성장(자본주의)이 옳았을지라도 오늘은 또 다르다.
이제는 균형이 더 필요한 순간이 온 것이다.

이기를 버려야 한다.
이기를 버려야 시대의 요구하는 바를 알게 된다.

5

이기의 극을 달리는 이 사회는 이제 부모도 몰라보는 사회가 되었다.
하늘도 몰라보고, 남편도, 어른도, 대통도 몰라보는 사회가 되었다.

우리들의 선조가 불쌍하지 아니한가?
그들이 일궈 온 수고의 값이 이런 것이라면 그야말로 허무하지 아니한가?
그들이 단지 이기의 빵조각 하나에 싸우는 이 사회를 위하여
日帝와 6·25, 그 시련의 골짜기를 피눈물로 메웠단 말인가?
너와 내가 敵이 되는 이 사회를 위하여 그 많은 敵들을 물리쳐왔단 말인가?

그들이 단지 이기의 내 배 채우고 흥청거리고 낄낄거리는 사회를 위해
의분강개義憤慷慨의 심정으로 적진을 향하고 초개와 같이 자기를 버렸단 말인가?
이역만리 타국에서 눈물로 이 나라를 그리워하다 쓸쓸히 죽어갔단 말인가?

우리 선조들이 의분義憤으로 싸우고 독립을 외치고 목숨을 던진 이유는
단지 자신만이 잘 먹고 잘사는 이기의 사회가 목적이 아니었다.
더불어 잘사는, 한겨레 한 인류가 목적이었다. (기미 독립선언문 中)

우리는 대오각성하고 민족영령 앞에 다시 서야 한다.
침식을 금하고 결행으로 이타의 길에 나아가야 한다.
그것이 역사와 선조 앞에 일말의 위로로 서는 길이다.✻

고인을 추모하며

~~~~~

현실에 있어 법을 거론할 수밖에 없는 것은 이기의 사회에서 법은
너무도 절실한 것이고, 가까이 있고, 영향 지대한 것이기 때문이다.
현금의 법은 그 위치에 있어 사람의 생명을 다루고 있는 醫보다도
더 긴박하고 치명적인 것으로 만민의 생활 가까이에 직립해 있다.

양심으로 이루어진 '이상 사회'라면 법이 없어도 운영이 가능한 것일 테지만
이기가 활개, 활보하는 이 사회에서는 수많은 규약과 법규가 필요하게 되어
본질적으로 '계산'과 '약정'에 무심한 '양심인'들의 삶을 힘들게 하는 것이다.

일찍이 공자가 '법치'에 대비되는 말로 '덕치'를 주장했던 것은 그 법치가
필요 없다는 말이 아니라, 어디까지나 이차적인 수단으로 하라는 것이었다.
법과 정치는 지상의 낙원을 위한 것이고, 그것은 '소송이 없는 나라'라는 것이다.

지나간 일이지만 정의가 무엇이고 그 진실이 무엇인가를 밝히는 일은,
우리의 역사, 이 세대와 다음 세대를 위해서 필요한 일이 될 것이다.
그를 놓고 벌인 이 사회의 행사(수사)가 과연 옳은 것이었는가?
~~~~~

~~~~~

하나의 행위가 정당하고 옳은 것인지 판단을 하려면
그 동기에 대한 것들을 먼저 상세히 이해해야 한다.
결과만 놓고서는 진실에 대해 '도무지 알 수 없게' 되는 것이다.

체벌의 행위를 놓고 그것이 사랑인지 미움인지,
Sex의 행위를 놓고 그것이 사랑인지 불륜인지,
기부의 행위를 놓고 그것이 뇌물인지 선물인지,
자금의 유입을 놓고 그것이 투기인지 투자인지 알 수 없는 것이다.
가을과 봄, 아침과 저녁이 비슷하듯이 나타나는 현상으로는
선과 악, 사랑과 미움의 내용이 비슷해 보이는 것이다.

이 모든 것들의 결과로서의 내용은 그 진의가 애매하고 모호하여
그 동기를 제하면 선인지 악인지, 義인지, 불의인지 구분이 어려워진다.
그러므로 이에 대한 단정은 아주 조심하지 않으면 안 된다.
불륜이 나쁘고 멀리해야 할 일이지만 사랑은 좋고 가까이할 일이고
투기가 나쁘고 지양해야 할 일이지만 투자는 좋고 권장해야 할 일이다.

인간에게는 이기만 있는 것이 아니고 이타만 있는 것도 아니다.
그 마음과 행동에는 이기적인 것과 이타적인 것이 공존해 있는 것이다.
마음과 행동이 1%라도 이타에 가까이 있다면 선에 가까운 것이고,
마음과 행동이 1%라도 이기에 가까이 있다면 악에 가까운 것이다.
~~~~~

모양새는 같더라도 그 진실은 전혀 다른 것일 수 있다.
그러므로 진실은 실은 양심만이 알 수 있다.

하지만 그래도 사회적, 객관적으로 어떠한 기준을 정해야 한다면
그것은 '기간(시간)'이라는 것을 한 기준 삼을 수 있을 것이다.
물론 '기간'으로도 진실 파악에 다 이를 수 있는 것은 아니지만
우리 사회는 '기간'을 하나의 잣대로 삼아 통용하고 있는 것이다.

한 사람의 마음과 행동양식이 영원의 이익과 가치를 따랐다면 미덕이고,
순간의 이익과 가치를 따랐다면 부덕이다.
사랑이든 우정이든, 주식이든 땅이든 그것이 먼 계획과 시간 속에서 이루어진
것이라면 사회는 그것을 용허하고 있으며, 오히려 미덕의 일로 권장하고 있다.

그럼, 대통령이 대체로 가졌던 앞선 삶은 어떤 것이었던가.
그의 삶의 행동 양식과 양상들이 순간의 이익과 가치(돈)를 따른 것이었던가
아니면, 영원의 가치(인간에 대한 신뢰, 우정적 인간관계)를 따른 것이었던가.
그가 순간적 가치가 되는 '이익'이 아닌, '인권' , 사회의 어둡고 소외된 약자의
권익을 위해 생을 두고 걸어온 것은 누구나 아는 주지의 사실이지 않은가.

그런데 법은 그가 걸어온, 온 생에 대한 것은 다 묻어두고 그 '깜'도 안 되는
피상적 증거 하나만 가지고 대통령 인격 전체에 대한 것을 재단하려 했다.
법이 마땅히 가져야 할 기본적 소양, (인격이 걸어온 발자취의) '살펴봄' 없이
입새적 결과만 가지고 뿌리와 기둥 전체에 대한 것을 재단하려 했던 것이다.

일반적 기준으로 볼 때 오랜 우정으로 이어온 대통령의 지인과의 인과 관계는
결코, 이권의 관계로 볼 수 없는 것이었다.

단기적 대가성이 아닌 사랑의 행위를 '매춘법'으로 가둘 수 없듯이
단기적 대가성이 아닌 그의 행사를 '뇌물법'으로 옭아맬 수 없었다.
그것은 선의이고, 우정이었으며, 혐의받을 일이 아닌 권장 받을 일이었다.

혐의내용이 직접적인 것도 아니거니와 가족 일부가 가진 혐의내용도
'거래'와는 거리가 먼 것임을 삼척동자도 알 수 있는 내용이었던 것이다.

양심을 보지 못하는 것은 '법의 한계'이고 '조직의 맹점'이다.
대통령에 연관된 일도 그러할진대 일반인에 대해서는 어떠하겠는가.

"찌르면 찔리리라", "침노하는 자 빼앗느니라"의 말처럼
찌르겠다는데 안 찔릴 방법이 없고, 털겠다는 데 안 털릴 방법이 없다.
법이란 그런 것이다. 그런 눈으로 보겠다면 그렇게 보이는 것이다.

어떤 개인과 기업도 과실 없고 무죄한 이 없고,
따라서 어떠한 수사와 조사도 당위가 없지는 않다.
단지 그것을 어떠한 각도에서 어떻게 보느냐는 것이다.
어떤 기준으로 보고 어떻게 적용하느냐에 따라 귀걸이도 코걸이도 되는 것이다.

억울한 누명의 대명사로 십자가를 지게 된 예수의 상황을 한번 돌아보라.
그가 가진 행적들에 대해 오늘 다시 현행법을 적용하여 유무죄를 가리고

법의 올무를 씌우는 것은 식은 죽 먹는 일보다 쉬운 일이 아니겠는가?

누가 의인이고 누가 죄인인가.
춘향을 결박하여 세웠던 변사또의 명분도 철저히 '법'에 근거한 것이었다.
이처럼 법의 귀걸이는 얼마든지 私利로, 코걸이로 변용될 수 있다.
놀부에 상을 주고 흥부에 벌 줄 수 있는 것이다.

~~~~~

개인이건 기업이건 검찰수사의 결정은 그 자체만으로도 수사 대상자의
입지와 활동에 큰 위축을 가져오고 파멸과 부도라는 파장을 몰고 온다.
그 초래되는 영향이 너무도 중차대하기 때문에 그에 대한 결정은
최대로 신중해야 하고 엄격한 기준 아래 진행 되어야 하는 것이다.

한 기업의 CEO일지라도 그것이 사회경제의 미치는 파급의 영향 때문에
소문과 혐의는 무수히 많지만, 그 결정은 쉽사리 이루지 않는 것이다.
그런데 국가 원수에 대한 수사를 그처럼 쉽게 결정할 수 있단 말인가?
그것은 사회 풍토적으로도 청소년 교육적으로도 적절치 않은 것이다.

이제 새 시대의 판사는 위엄과 권위를 의복으로 삼으면 안 된다.
재판자는 단상에서 내려와 피의자와 평형으로 눈을 마주해야 한다.
법정의 위엄과 권위는 그 의복과 자리에서가 아니라 진정과 공정에서 온다.
재판자는 상대의 눈과 표정, 그리고 언어로도 그 진실의 단면을 보아야 한다.
이것은 중요한 과정이다. 단면을 알고 모르고는 엄청난 차이가 있는 것이다.
~~~~~

~~~~~

(가슴) 찢어질 듯한 회한의 아픔도 (하늘을) 찌를 듯한 추모의 열기도 사라졌다.
산자는 현실 속으로 돌아와 다시 현실 속에 묻혀 살아가야 한다.
오늘의 살을 에는 추위와 고통이 잊지 못할 만큼 힘들더라도, 봄이 오고
부드러운 바람이 불어오면 어느새 눈은 녹고 지난 추위는 잊히게 된다.
그러므로 오늘의 다짐도 열기도 흐르는 감성에 그대로 맡겨두어선 안 된다.
그 감성들은 곧 지나갈 것이기 때문이다.

대신 그 모든 것을 굳은 이성의 질그릇에 담아 오롯이 현실 앞에 서는 것이 중요하다.
현실의 삶 속에 용해 시켜 생명의 한 걸음, 한 걸음을 옮기는 것이 중요하다.
그리고 인고와 인내만이 아닌 보람과 기쁨의 발걸음으로,
삶의 변화를 이끌 '습관'으로 이어지도록 해야 한다.
그렇게 살아있는 의식 하나하나가 미래를 이끌게 될 것이다.

앞선 글은 고인이 퇴임을 바로 앞둔 시기에 쓰였던 것이다.
그 후 그는 피의자가 되고, 벼랑으로 몰려 '자연의 한 조각'이 되었다.
아마도 현금의 한국 실정에서 '피의자'로 서보지 못한 사람들은
그 '피의자'에게 오는 절박한 사정들을 깊이 모르리라.
더욱이 대통령의 신분으로 피의자가 되어 받게 된 심문들은
그가 법조 출신이란 것도 아무 소용없는 것이 되었던 것이다.
생전, '구시대의 막내'로 자신을 의식하였던 그의 가슴 아픈 사정과
가슴 아픈 사연을 글로 대신하며 추모에 갈음한다.✻
~~~~~

아마겟돈- 최후의 싸움

1

아마겟돈은 결판의 싸움, 마무리 싸움이다.
이 싸움에서 이기면 이제까지의 한숨도, 고통도, 지난 이야기가 될 것이고,
이 싸움에서 지면 이제까지의 수고도, 노력도, 하얀 물거품이 될 것이다.

이때는 오랜 역사, 신화, 경전, 민담에서의 주인공들이 모두 등장하고
그 이야기가 이루어지는 때이다.
내일 지구의 종말이 올지라도 한그루의 사과나무를 심겠다는 영혼이 돌아오고,
목에 칼이 들어와도 가진 '의'를 '버릴 수 없노라.'던 영혼이 돌아오는 때이다.

아마겟돈은 최후의 싸움이다.
이제까지의 싸움은 남과의 싸움이었다.
남보다 강한 자가 이기고, 이긴 자가 다 가지는,
약육강식, 강자독식의 동물싸움이었다.
이제 싸움은 자신을 이긴 자가 이기고, 이긴 자가 나누는, 공생공의의 인격싸움이다.
자신을 이긴 것의 값은 '영생의 가나안(건강)'이다.

2

최후의 싸움은 돈 싸움이다.
지금까지 이 싸움을 놓고 오른뺨을 때리면 왼뺨마저 내놓고,
속옷을 달라 하면 겉옷까지 내주며 양보만 하던 '善의 정신'이
"이제는 더는! (그럴 수 없어!)"하고 결단을 내리는 때이고,
이어, "이에는 이, 눈에는 눈!"하고 응전포고를 여는 때이다.

악마(이기주의)의 수탈과 횡포에 묵묵히 참고 기다려온 신이
이윽고, "너 정말 다 했냐?"며 응수에 나서는 때인 것이다.

이제까지 악마는 줄곧 물질(돈)을 근거로 놓고 자신 실력을 행사해 왔다.
신파극에서 '심순애'의 마음을 움직이는 실력을 행사한 것도 그것이었고,
세상만사의 모든 불법의 행사도 다 그를 근거로 놓고 한 것이었다.
이처럼 악마는 물질로 자신의 단을 높이고 띠를 둘러 실력을 행사해 온 것이다.
이렇게 물질의 성을 높이 쌓고 철옹성으로 세상에 군림하게 된 사탄마왕(요12/31)을
하늘은 어떤 전법과 전술, 병기를 무기로 하여 주도권을 되찾을 수 있을 것인가?
싸움과 전쟁에서는, 아무리 이론이 좋아도 실력이 없으면 소용없는 일이고,
아무리 이상이 높아도 현실이 뒷받침 안 되면 부질없는 일이다.
그래서 하늘은 하나의 실질적인 '특허'와 '기술'로 이 싸움에 임하게 되는 것이다.

물질주의 사회에서 '돈 싸움'은 '특허'와 '기술'의 싸움으로 직결된다.
'특허'와 '기술'이 돈의 유입과 창출에 결정적 창구가 되기 때문인데,

그래서 현자의 돌 메시아는 하나의 '기술'과 '방법'을 '특허'로 출연하여
최후의 싸움에서 자신의 비밀병기로 사용하게 되는 것이다.

현자의 돌 메시아가 마지막 싸움에서 병기로 사용할 무기는 '생명(건강) 특허'이다.
이기의 세계가 물질을 담보로 한없이 자신의 부를 축적해가지만, 그 모든 것은 결국
'생명'으로 귀결될 것이 아니겠는가?
아무리 물질의 성을 높이 쌓고 풍요의 띠로 자신의 몸을 두루 두른다 하여도
'생명'은 어쩔 수 없지 않은가?
아니, 오히려 '생명'은 물질이 쌓이고 풍요가 넘칠수록 더 '절실한 것'이 된다.
그래서 하늘은 '생명특허'를 출원하여 자신의 출사표를 던지게 되는 것이다.
그 특허의 출원 앞에 누구든지 비용을 내어놓지 않을 수 없게 되는 것이다.
마치 7년 풍년 뒤 7년 기근이 밀려오매 '양식'을 위해 모든 재물을 내어놓는
요셉 형제와 이방 족속들처럼 성서 이야기와 역사 이야기의 재현을 이루며
하늘 뜻을 완성하게 되는 것이다.

메시아의 주된 사명의 할 일이 바로 생명나무(건강법)양식을 열음하는 것이고,
그가 그 농법을 비밀병기(특허)로 하여 이 최후의 싸움에 임하게 되는 것이니,
기실 '건강법'은 하늘이 최후의 싸움에서 사용할 예고된 비밀병기였던 것이다.
인류의 경전은 모두 하나같이 '영생(건강)'을 궁극으로 전하고 있는 것이다.

2

지금까지 하늘은 양심을 말하고 순수를 말하고 선을 말해왔다.

그 모든 것이 이날, 최후의 싸움의 날 때문이다.
뭇 선인들이 죽음과 고통의 가시밭길을 마다치 않고
忠孝禮節義의 길을 갔던 이유가 이날을 위해서다.

진리와 선, 순수가 단지 옳기만 한 것이라면 무슨 소용일 것인가.
옳은 것은 실은 필요 되는 것이기 때문에 교훈 되었던 것이다.
그것이 단지 눈앞의, 단기적인 것으로 필요로 선 것이 아닐 뿐,
어떤 것도 헛됨 없고 '호리라도 남김없이' 다 이루어지는 것이다.
그리하여 신은 자신의 축복 선물을 이 추수 절기에 내어놓는 것이다.

이날, 정신을 품고 정신을 지켜(키워)온 자에게 그 열매 '건강(영원)'을,
물질(탐욕)을 품고 물질을 키워온 자에게 그 열매 '부'를 열게 한다.
품고 걸어온 모든 것들이 그 뜻을 맺고 결실을 이루는 것이다.
가슴에 현실(물질)의 가치를 품고 온 자, 현실(부)의 풍요 속에,
영원(善)의 가치를 품고 온 자, 영원(영생)의 곳간 속에 들게 되는 것이다.

신은 벌레와 세균이 득실한 여름 잎사귀의 무성함 속에서 자신을 지키고
여문, 선의 실과들을 위해 자신의 영원 곳간(영생)을 준비하신 것이다.

이날 하늘 뜻, 양심과 선, 순수를 놓고 고통을 받아온 자,
그의 부름을 듣고, 하늘 전사로서 진격의 행렬 위에 선다.

이날 준비된 용사는 오히려 세상에서는 살 준비가 되지 못한 자이다.
세상에 낙오되고 도태된 자, 버려지고 소외돼, 그래서 아무 아쉬움 없이

부름에 응해 전선으로 향할 자, 그들이야말로 이날의 준비된 자 아닐까?

이 자리에서는 오직 '진실'의 갑옷과 굳건한 '용기'만이 필요하다.
그 나라는 보편적이고 자유로운 새 법칙이 지배한다.
이렇게 앞선 자를 뒤서게, 뒤선 자를 앞서게 함은 공평하지 아니한가?

3

원래 기술(특허)의 발견과 발전은 인류 전체를 위해 주자는 하늘의 선물이다.
그렇게 공적인 것으로서, 만민을 위해 편의와 만족으로 쓰여야 할 것이지만
이기의 극을 이룬 물질사회에서는 그것이 모두 개인의 것으로 점유되어
기밀과 보안의 띠로 둘리고 탐욕의 도구로 이용되게 된 것이다.

모든 폐해의 발원은 '이기'이다.
그 이기에 의해서 법, 기밀, 조직, 체계 등의 모든 장애물이 생겨났다.
그리하여 '발명'과 '기술'은 지상 구석구석에 편의로서 전달되지 못하고
개인과 단체(회사)의 수많은 보안장벽에 둘려져 복잡한 과정, 절차와 함께
최대의 비용을 지출해야만 이용할 수 있게끔 법제(체계)화 되게 된 것이다.

돌이켜 볼진대, 현금의 자신들 배경을 이루는 삶의 대부분 것들이 실은
아무 비용 없이 대여되고 증여된 혜택의 것들임을 모른단 말인가?
언제 자신이, 자신의 삶을 풍요롭고 윤택하게 해준 모든 예술의 창작자,
기술(전기, 전자 등)의 발명자들에게 그에 합당한 비용을 지불 했던가.

다 무상으로 받았고 무상으로 누렸다.
공적으로 받았으니 공적으로 줘어야 할 것 아닌가!
지금 이 사회는 바람 구름이 길러 준, 깊은 산 속 나물조차도
함부로 손댈 수 없게 된 개인 소유의 사회가 되었다.

이러한 이기 사회에 대한 응대로 하늘은 '이에는 이'의 전법을 그대로 적용,
자신의 기술과 특허에도 보안의 장벽을 두르게 하게 되는 것이다.
그래서 만인의 출입을 제한하고 '선의 비용'을 충분히 지급한 일부,
'십사만 사천'을 우선으로 하여 자신의 '특허'를 전하게 되는 것이다.

4

이날은 마치 하늘 모세가 바로의 술사들이 마주하는 형국과 같고,
온 백성이 생명의 양식을 구하러 요셉 앞으로 나아오는 형국과 같다.

'하늘의 지팡이'(뱀)가 저들(바로)의 것을 집어삼킬 때까지
저들은 저들의 강퍅한 그 마음을 바꾸려 하지 않을 것이고,
또 그처럼, '7년 풍년' 뒤 '7년 기근'이 시작될 때까지
저들은 저들의 사치와 향락을 그만두지 않을 것이다.
별을 따다 목에 걸 모양으로 탐욕을 더해갈 것이다.

'7년 기근'이 시작되고서야 비로소 자신들이 평생껏 생명처럼 모아둔
재물을 둘러메고 요셉 앞에 나아와 '식량(생명)'을 애걸하게 될 것이다.

나타내 보이고 있는 저들의 기술들은 이내 곧 한계를 드러낼 것이고,
'7년 풍요의 곳간' 또한 이내 그 바닥을 드러낼 것이다.

그때까지 저들은 '거짓 기술' '술법'으로 얼짱, 몸짱 등의 영생을 흉내 낼 것이며,
'7년'의 '가불 풍년'으로 '흥청망청' 향락의 낭비를 만발하게 될 것이다.

오늘에 등장한 성형의학과 건강술 등은 그 '술법'과 '기술'들이고,
오늘의 펼쳐진 물질 풍요 또한 그 '7년 풍년'이다.
무엇이 '진짜'이고 '진실'인지는 시간이 나타내어 보여줄 것이다.

5

신화와 경전이 말해주듯 마지막의 그 날은 속히 이루어지게 된다.
하지만 그것은 또 삶의 습관을 바꾸고 내용을 바꾸는 일이다.
그래서 과학으로 설명되는 진화 선상의 내용을 이루는 일이고
유구한 변화로 현상의 '설명꺼리'를 증거 남기는 일이기도 하다.
최후의 싸움이 '특허'의 싸움이고 '기술'의 싸움이지만
그것은 삶의 '방법'에 대한 싸움이고 '습관'에 대한 싸움이기도 한 것이다.
(그래서 시간을 요하는 일이 된다.)
마치 태초에 인류가 새로운 삶의 방법과 습관으로 자신의 변화를 이루어
현재의 인류로 진화를 이루게 되었듯이, 새천년의 인류는 또 새로운 습관과
삶의 방법으로 또 다른 단계의 진화된 생명으로 나아가게 되는 것이다.

태초의 인간이 새로운 습관과 삶의 방법(직립)으로 손과 발, 머리, 척추 등의 골격 전반의 변화를 하게 되었듯이 새 인류는 새로운 습관과 삶의 방법으로 새로운 체질과 체형을 이루고 새 생명의 새 길(영생)을 가게 되는 것이다.

강자가 살아남는 것이 아니라 살아남는 자가 강자가 되는 것이듯,
'永生'은 그 자체로 싸움의 승자로 서게 된다.
'생명연금'은 제4의 물결로, 미래 주도산업으로 이어지게 되는 것이다.

많은 시간이 지나갔다.
쫓기고 몰리는 우여곡절의 쓰린 역사는 다 잊히고 지워질 것이다.
그리고 복귀의 기쁨과 감사가 생명 전체 위에 퍼지고 전달될 것이다.
모든 싸움 다 싸우고 마지막엔 다시, '사랑'과 '자비' 그리고 '인'이다.

생명역사의 모든 우여곡절과 시련이 결국 '인간'을 배출하는 배경이 되었듯이
인간역사의 모든 우여곡절과 고통 또한 더 나은 생명, 진화를 위한 배경이다.
몰아치는 채찍이 없었던들 인류는 그저 현실의 정글 숲에 안주해 남았을 것이다.
생존하여 남겨진 존재가 되었다면 다시 '홍익인간' 해야 할 일이다.
'널리 사람을 사랑하고 이롭게' 할 일이다.
생명이 걸어온 수고의 참뜻을 알고 한 방울 눈물 흘릴 일이다.*

맺는 글 – 聖戰을 향하여

'생명연금'은 신인류에게 준비되었던 신의 선물, '방주'이다.
하지만 안타깝게도 이것은 약속됐던 세대에서 환용 되지 않았다.
그래서 나는 그저 한 세대가 시간이란 물살의 밀물에 떠밀려
저만치 뒤편으로 사라져 가는 것을 바라보고만 있어야 했다.
'세월호'는 어쩌면 그것을 상징으로 보여준 것인지도 모른다.

단 '하루의 흐림'일지라도, 그것이 하루살이에겐 온 생에 대한 것이다.
역사적인 일에 있어서 어둡고 흐린 날을 보내고 맑은 한 날을 맞는 일은
한 세대를 살아가는 하나의 실존적 존재로서 얼마나 막막하고 긴 일인가?
하물며 노아의 숱 생(120년)에 대한 것, 그 무관심과 고독에 있어서랴.

'연금술'을 출간한 지 10여 년이 흘렀고 또 한 번의 굴곡과 터널을 지났다.
때가 이르렀구나 생각했으나 혹독한 추위가 남아있었다.
그것은 퇴각하는 적의 총알에 관통된 충무의 가슴처럼
생명의 시간에 잔혹하고 쓰라린 恨의 것으로 남겨졌다.
생명이 향해가는 역사는 그처럼 멀고도 아득한 일이다.
'광야'를 향하면 바로 그 나라(가나안)가 닿을 줄 알았지만
'만나'와 '메추리'만의 수많은 순응의 시간을 가져야 했고,
요단 강을 건너면 젖과 꿀이 흐르는 땅에서 다리 뻗고 쉴 줄 알았지만

날마다 계속되는 지독한 전쟁과 고달픈 과제가 산적해 기다리고 있었다.

~~~~~

값비싼 지식으로 애매한 논거를 일삼고 여흥을 즐기는 철학의 시대는 갔다.
관속에 처박혀 사장되어 가는 자리에서도 입만 나불대고 있을 것인가?
이제 확실하고 분명한 것을 말하고 보여주고 증거 하라. 간단명료하게.

말의 패(마패)를 보여주는 것으로 모든 것이 인정되리라 생각했다.
하지만 그렇지 않았다.
의심으로 강팍한 '바로(세계)'는 그것만으로는 결코 실체를 인정하려 않는다.
버텨보자, 끝까지 가보자, 하는 것이 저들의 심산이었다.
결국 '생명'이 아니면 이 판가리 싸움은 끝나지 않게 될 것이었다.

다시 새로이 개정판을 낸 이유는 성전- 최후의 싸움 때문이다.
한 마무리가 있어야 할 것이었다.
'정신의 님'이 물질문명의 폐해 끝에서 오게 되는 것은 섭리적인 일이다.
그가, 그 폐해(물질 문명의 폐해)가 다 드러나지 않은 상황에서 오게 되면
그 '구원의 선물'이 선악 구별도 없이 전달되게 될 수 있을 뿐만 아니라,
자칫 그것으로 마지막 비밀 병기로 쓰여야 할 하늘의 특허 된 무기가
적진에의 노출로 무력화될 염려도 있게 되는 것이다.
착함으로 정체를 이룬 현자의 돌 메시아는 자칫 그 가진 여린 마음 등으로,
자신에게 있는 하늘 특허의 무기를 악인에게도 허용하여(전력을 노출하여)
최후의 전선에서 자신 실력을 제대로 행사 못 하게 될 수도 있는 것이다.
~~~~~

처음에 하늘은 있는 것을 무작정 주길 원하셨다.
하지만 그것을 받아 볼 이도, 받고자 하는 이도 없었다.
정확하게 말하면 하늘이 그것을 허락지 않으셨다.
그렇게 이해할 수밖에 없었다.
21C 하늘이 내릴 선물은 너무도 크고 값진 것이어서 이기가 남겨진 세대에
그것이 무상으로 주어지고 값없이 나뉘는 것을 용허 할 수 없었던 것이다.
그래서 신은 승낙을 철회하시고 그 진입 경계를 높이기로 하신 것이다.

~~~~~

지금까지 여기서 펼쳐진 모든 논술의 주제는 '이타'이다.
'이타'는 인간 완성의 과제이고, 영생으로 이르는 열쇠이다.
이기를 넘어 이타에 이르는 것, 사私를 넘어 공公에 이르는 것,
그것은 생명역사의 또 한 진화를 이루는 인류 과제인 것이다.
'이타'를 말함은 '이기 없음'을 말하는 것이 아니다.
단지 이타적 가치를 우선하자는 것이다.
이기 없는 존재는 있지도 않거니와 있을 수도 없다.

'이타'는 우리 역사가 가져온 '弘益人間' '在世利和'와 맞닿은 것이다.
이 세대에 묻혀있고 잊혀있는 옛 소리의 '재방(재방송)'이다.
논리를 주장하고 '과학'을 주장하였지만 정작 말하려는 건 '선'뿐이다.
'선이 이기리라' '선을 취하면 복을 받으리라'는 선조의 교훈이다.

~~~~~

지금은 말세로, 가을의 절기이고 자신 정체성을 과실로 내는 때이다.
이 세대가 자기반성이 부족하고 주장이 많아진 것은 이 때문이다.
봄날에는 들판의 가시(나무)도 소나무의 '푸름(영원)'을 찬양하지만
찬바람 이는 가을에는 그 '푸름'에 대한 옛 뜻은 먼 이야기가 되고
저마다 다음 생(봄)을 기약하며 자기과실 맺기에 분분해지는 것이다.

존재계에 나타나는 현상들은 아이러니한 형식을 띠고 세상에 나타난다.
하얗게 보이는 것은 실은 그 실체가 아니고 빛의 굴절로 그렇게 보일 뿐이다.
현상계에서 빛이 떠오르면 어둠이 사라지지만, 존재계에선 반대로 어둠(악)이
등장하면 빛(선의 일과 사람, 지혜)은 자리에 머물지 아니하고 조용히 떠나간다.
대신, 선과 진실은 더 뒤엣것, 영원한 것, 유구한 것을 붙잡는다.
그것이 진실이 베일에 가려져 역사의 뒤안길을 걸어왔던 이유이다.
그것이 인간이 생태계에서 눈앞 먹이에 연연하지 않고도 승자가 된 이유이다.
인간은 최후, 최선의 것이 아니라면 동물과 눈앞 먹이를 놓고 싸울 필요 없다.

~~~~~

앞서 나는 타계한 길은정을 이 세대 마지막 정신주의자라고 했다.
어떻게 그녀가 그러한 모습으로 의식 속에 서게 되었는지 나는 모른다.
나타난 수많은 행적과 상징들로도 다 이해 못 하고 설명 못 할 일이다.
모세가 불붙은 떨기나무 가지에서 그의 신 야훼를 보았던 것처럼,
꺼져가는 그 모습에서 떨기(마지막)의 형상을 본 것일지 모르겠다.
그때 그것은 물론 그만이 오직 '정신주의자다.'라 한 것은 아니었다.
시대와 세대의 한 정신 體의 단면을 그 모습에서 보고 한 말이었다.
~~~~~

이후, 실로 이 시대(세대)의 정신과 양심은 그 기대機臺가 완전히 무너져
대통령(노무현)마저 벼랑으로 몰려 몸을 던져야 하는 지경에 이르렀다.

하늘의 일은 땅에서의 일(정치)과 같다.
하늘 당이든 땅의 당이든 자신의 생존(권)을 확보하고 그 활동을 유지하려면
그에 필요한 지지(표)를 얻고 그에 합당한 수(의석수)를 확보해야 한다.
이 세대의 '정신'은 그렇게 그에 필요한 수의 표를 확보하지 못함으로
땅에서의 입지를 세우지 못하고 다음 세대, 다음 기회로 물러간 것이다.

가슴 아픈 시간이 지나갔다. 말로 다 할 수 없다.
이어져 온 한 많은 역사, 한 많은 사연, 다 헤아리고 위로할 수 없다.
하지만 남아 있다. 숨 쉬는 여기 이 앞에.
모든 것 헤아리고 굽어보는 가슴속에. 오롯이.

한 사람의 길은정, 한 사람의 노무현은 또 올 것이다. 틀림없이.
다시 그들 올 때에, 또다시 그 과정에 머물지 않도록 현실의 땅을 일구기로 한다.
다시 필 그 영혼 꽃들의 내일을 위해 오늘 하루의 발걸음을 옮긴다.
그것만이 오늘 할 수 있는 현실의 일이고 최선의 일이다.

이 글은 다시 오는 세대를 위해서다. 최후의 싸움을 위해서다.
수많은 사연, 눈물, 한탄, 죽음의 값으로도 자신을 거두지 않는다면
'한 날'에 '한 마무리 싸움'은 불가피한 것 아니겠는가?

더없이 부족하고 모자란, 기본적 자질, 재능마저 갖추지 못한, 형편없는 존재를

싸움의 일선으로 내모는 신은 얼마나 가여운 존재인가.
이어진 가슴 아픈 사연, 질곡의 내용에 더는 아무 말도 필요 없음을 알고
그저 성전을 향해 한걸음 걸어갈 뿐이다.

새날의 때를 알리는 닭의 횃소리가 울렸다.
인류역사를 처음 연 배달配達민족의 태산泰山 위에 여명이 일고
물질의 극을 이룬 이 땅, 어둠의 대지 위에 조양이 비췬다.
조선朝鮮의 태양이 하늘 높이 오를 때 세상에 온기(평화)가 스미고
그 온기에 어둠과 그늘, 계곡 바위도 조율照律로 합장할 것이다.

2017. 11. 최정운